추천도서

한자급수자 … 대비서

대한검정회 漢字 준4급

- 이 한권으로 準4級 합격보장 !!
- 심화학습문제 5회 수록 !!
- 실전대비문제 15회 수록!!

한자급수자격검정시험대비서

대한검정회

漢字 준4급

| 초판발행 | 2021년 08월 27일

| 4쇄 인쇄 | 2024년 10월 15일

| 발행인 | 한출판 편집부

| 발행처 | 한출판

| 디자인·삽화 | 윤지민

| 등 록 | 05-01-0218

| 전 화 | 02-762-4950

ISBN : 978-89-88976-74-6

전국한문실력경시예선대회를 겸한

한자급수자격검정 한자 · 한문전문지도사 시험시행공고

* 공인민간자격(제2021-5호) 한자급수자격검정 : 준2급, 2급, 준1급, 1급, 사범
* 공인민간자격(제2021-4호) 한자·한문전문지도사 : 아동지도사급, 지도사2급, 지도사1급, 훈장2급, 훈장1급, 훈장특급
* 등록민간자격(제2008-0255호): 한자급수자격검정 8급, 7급, 6급, 준5급, 5급, 준4급, 4급, 준3급, 3급, 대사범

(사)대한민국한자교육연구회 대한검정회 KTA 대한검정회

✲ 종목별 시행일정

시행일	자격검정 종목 및 등급			접수기간
	종 목	시행등급		
2월 넷째주 (토)	한자급수자격검정	전 15개 등급	8급~대사범	12월 넷째주 월요일~3주간
	한자 · 한문전문지도사	전 6개 등급	아동지도사~훈장특급	
5월 넷째주 (토)	한자급수자격검정	전 15개 등급	8급~대사범	3월 넷째주 월요일~3주간
	한자 · 한문전문지도사	부분 3개 등급	아동지도사~지도사1급	
8월 넷째주 (토)	한자급수자격검정	전 15개 등급	8급~대사범	6월 넷째주 월요일~3주간
	한자 · 한문전문지도사	전 6개 등급	아동지도사~훈장특급	
11월 넷째주 (토)	한자급수자격검정	전 15개 등급	8급~대사범	9월 넷째주 월요일~3주간
	한자 · 한문전문지도사	부분 3개 등급	아동지도사~지도사1급	

✲ 접 수 방 법

- 방문접수: 응시원서 1부 작성(본 회 소정양식 O.C.R카드), 칼라사진 1매(3*4cm)
- 인터넷접수: www.hanja.ne.kr
- 모바일접수: m.hanja.ne.kr (한글주소:대한검정회)

※ 단, 인터넷 및 모바일접수는 온라인 수수료 1,000원이 추가됨.

✲ 시험준비물

- 수험표, 신분증, 수정테이프, 검정색 볼펜, 실내화

✲ 합 격 기 준

- 한자급수자격검정 : 100점 만점 중 70점 이상
- 한자·한문전문지도사 : 100점 만점 중 60점 이상

* 자격증 교부방법 : 방문접수자는 접수처에서 교부, 인터넷접수자는 우체국 발송
* 환불규정 : 본회 홈페이지(www.hanja.ne.kr)접속 → 우측상단 자료실 참조
* 유의사항 : 전 종목 전체급수의 시험 입실시간은 오후 1시 40분까지입니다.
이후에는 입실할 수 없습니다.
※ 연필이나 빨간색 펜은 절대 사용 불가, 초등학교 고사장 실내화 필수 지참

한자를 알면 세상이 보인다!

이 책의 특징

이 책은 사단법인 대한민국한자교육연구회 · 대한검정회 한자급수자격검정시험을 준비하는 응시자를 위한 문제집이다.

1 최신 출제경향을 정밀 분석하여 실전시험에 가깝도록 문제 은행 방식으로 편성하였다.

2 각 급수별로 선정된 한자는 표제 훈음과 장·단음, 부수, 총획, 육서, 간체자 등을 수록함으로써 수험생의 자습서 역할을 할 수 있도록 하였다. 단, 준4급 시험에는 장·단음, 육서, 간체자는 출제 되지 않는다.

3 해당 급수 선정 한자 쓰기본과 한자의 훈음쓰기, 훈음에 맞는 한자쓰기, 한자어의 독음쓰기, 낱말에 맞는 한자쓰기를 실어 수험 준비생이 자습할 수 있도록 하였다.

4 반의자, 유의자, 이음동자, 반의어, 유의어, 사자성어 등을 핵심 정리하여 학습의 효과를 높이는 역할을 할 수 있도록 하였다.

5 심화학습문제 5회, 실전대비문제 15회분을 실어 출제경향을 알 수 있도록 하였다.

6 연습용 답안지를 첨부하여 실전에 대비하게 하였다.

※더욱 깊이 있게 공부하고 싶거나 경시대회를 준비하고자 하면 해당급수의 길잡이『장원급제 I』를 함께 공부하시기 바랍니다.

編·輯·部

한자자격 준4급 출제기준

대영역	중영역		주요내용	출제문항수			
				객관식	문항	계	%
한문지식 한자 400	한자	한자	·한자의 훈음 알기	8	1~8	16	32
			·한자의 짜임을 통한 형·음·의 알기	1	16		
			·훈음에 맞는 한자 알기	7	9~15		
		활용	·한자의 다양한 훈음 알기	2	17~18	6	12
			·자전 활용하기	1	19		
			·유의자와 상대자의 한자 알기	2	20~21		
			·단어에 적용하기	1	22		
	어휘	단어	·단어의 독음 알기	9	23~31	16	32
			·단어의 뜻 알기	3	32~34		
			·낱말을 한자로 변환하기	3	35~37		
			·단어의 짜임 알기	1	45		
		활용	·문장 속의 단어 독음 알기	4	38~41	10	20
			·문장 속의 낱말을 한자로 변환하기	3	42~44		
			·유의어와 상대어 알기	2	46~47		
			·성어의 속뜻 알기	1	48		
	문화		·선인의 삶과 지혜를 이해하고 가치관 형성하기 ·전통문화를 이해하고 발전시키기 ·기타	2	49~50	2	4
합계				50		50	100

등급별 선정한자 자수표

등급별	선정한자수	출제범위	응시지역	등급별	선정한자수	출제범위
8급	30字	교육부 선정 상용한자	전국지부별 지정고사장	준2급	1,500字	교육부 선정 상용한자 및 중·고등학교 한문교과
7급	50字					
6급	70字			2급	2,000字	
준5급	100字			준1급	2,500字	본회 선정 대학 기본한자 대법원 선정 인명한자 명심보감 등.
5급	250字					
준4급	400字			1급	3,500字	
4급	600字			사범	5,000字	
준3급	800字					
3급	1,000字			대사범	5,000字	사서·고문진보·사략 등 국역전문 한자

※선정 한자수는 하위등급 한자가 포함된 것임.

準四級

목차

준4급 한자(400字) 표제훈음

참고 ※선정한자 표제훈음보다 자세한 것은 자전이나 교재『장원급제Ⅲ』를 참고하시오.
: : 장음, (:) : 장 · 단음 공용한자 例) ❹ 4급, ④ 준4급을 표시함.

한자	표제훈음	장·단음	부수	총획	육서	간체자
❺ 歌	노래 가		欠,	14,	형성	
④ 加	더할 가		力,	5,	회의	
④ 可	옳을 가	:	口,	5,	형성	
❺ 家	집 가		宀,	10,	회의	
❺ 各	각각 각		口,	6,	회의	
④ 角	뿔 각		角,	7,	상형,	角
❺ 間	사이 간	:	門,	12,	회의,	间
④ 感	느낄 감	:	心,	13,	형성	
❼ 江	강 강	:	水,	6,	형성	
❺ 强	강할 강	(:)	弓,	12,	형성	
❺ 開	열 개		門,	12,	형성,	开
④ 客	손님 객		宀,	9,	형성	

준4급 한자(400字) 표제훈음

참고 ※선정한자 표제훈음보다 자세한 것은 자전이나 교재『장원급제Ⅲ』를 참고하시오.
ː : 장음, (ː) : 장 · 단음 공용한자 例) ❹ 4급, ④ 준4급을 표시함.

한자	표제훈음	장·단음	부수	총획	육서	간체자
❺ 去	갈 거	ː	厶,	5,	상형	
⑤ 車	수레 거 수레 차		車,	7,	상형,	车
⑤ 巾	수건 건		巾,	3,	상형	
④ 格	격식 격		木,	10,	형성	
❻ 犬	개 견		犬,	4,	상형	
❺ 見	볼 견 뵐 현	ː	見,	7,	회의,	见
④ 決	결단할 결		水,	7,	형성,	决
④ 結	맺을 결		糸,	12,	형성,	结
④ 輕	가벼울 경		車,	14,	형성,	轻
④ 敬	공경할 경	ː	攴,	13,	회의	
❺ 京	서울 경		亠,	8,	회의	
❺ 計	셀 계	ː	言,	9,	회의,	计

준4급 한자(400字) 표제훈음

참고 ※선정한자 표제훈음보다 자세한 것은 자전이나 교재『장원급제Ⅲ』를 참고하시오.
ː : 장음, (ː) : 장 · 단음 공용한자 例) ❹ 4급, ④ 준4급을 표시함.

한자	표제훈음	장·단음	부수	총획	육서	간체자
④ 界	지경 계	ː	田,	9,	형성	
④ 苦	괴로울 고		艸,	9,	형성	
❺ 高	높을 고		高,	10,	상형	
④ 考	상고할 고	(ː)	老,	6,	형성	
④ 告	알릴 고 뵙고청할 곡		口,	7,	회의	
⑤ 古	예 고	ː	口,	5,	회의	
④ 曲	굽을 곡	ː	曰,	6,	상형	
❺ 功	공 공		力,	5,	형성	
④ 公	공변될 공		八,	4,	회의	
❺ 空	빌 공		穴,	8,	형성	
⑤ 工	장인 공		工,	3,	상형	
❺ 共	함께 공	ː	八,	6,	회의	

준4급 한자(400字) 표제훈음

참고 ※선정한자 표제훈음보다 자세한 것은 자전이나 교재『장원급제Ⅲ』를 참고하시오.
ː: 장음, (ː): 장 · 단음 공용한자 例) ❹ 4급, ④ 준4급을 표시함.

한자	표제훈음	장·단음	부수	총획	육서	간체자
❺ 科	과목 과		禾,	9,	회의	
④ 果	과실 과		木,	8,	상형	
④ 過	지날 과	ː	辵,	13,	형성,	过
❺ 光	빛 광		儿,	6,	회의	
❺ 敎	가르칠 교	ː	攴,	11,	회·형,	教
❺ 交	사귈 교		亠,	6,	상형	
❺ 校	학교 교	ː	木,	10,	형성	
④ 球	공 구		玉,	11,	형성	
❺ 區	나눌 구		匚,	11,	회의,	区
❽ 九	아홉 구		乙,	2,	지사	
❼ 口	입 구	(ː)	口,	3,	상형	
❺ 國	나라 국		囗,	11,	회의,	国

준4급 한자(400字) 표제훈음

참고 ※선정한자 표제훈음보다 자세한 것은 자전이나 교재 『장원급제Ⅲ』를 참고하시오.
ː : 장음, (ː) : 장 · 단음 공용한자
例) ❹ 4급, ④ 준4급을 표시함.

한자	표제훈음	장·단음	부수	총획	육서	간체자
④ 郡	고을 군	ː	邑,	10,	형성	
❺ 軍	군사 군		車,	9,	회의,	军
④ 貴	귀할 귀	ː	貝,	12,	형성,	贵
❺ 近	가까울 근	ː	辵,	8,	형성	
④ 根	뿌리 근		木,	10,	형성	
❽ 金	쇠 금 성 김		金,	8,	형성	
⑤ 今	이제 금		人,	4,	회의	
❺ 急	급할 급		心,	9,	형성	
④ 級	등급 급		糸,	10,	형성,	级
❺ 旗	기 기		方,	14,	형성	
❺ 記	기록할 기		言,	10,	형성,	记
❺ 氣	기운 기		气,	10,	형성,	气

HAN 준4급 한자(400字) 표제훈음

참고 ※선정한자 표제훈음보다 자세한 것은 자전이나 교재 『장원급제III』를 참고하시오.
ː: 장음, (ː): 장 · 단음 공용한자 例) ❹ 4급, ④ 준4급을 표시함.

한자	표제훈음	장·단음	부수	총획	육서	간체자
❻ 己	몸 기		己,	3,	상형	
④ 吉	길할 길		口,	6,	회의	
❽ 南	남녘 남		十,	9,	형성	
❽ 男	사내 남		田,	7,	회의	
❼ 内	안 내 여관(女官) 나	ː	入,	4,	회의	
❽ 女	여자 녀		女,	3,	상형	
❼ 年	해 년		干,	6,	형성	
❺ 農	농사 농		辰,	13,	형성,	农
④ 能	능할 능	ː	肉,	10,	형성	
❺ 多	많을 다		夕,	6,	회의	
❺ 短	짧을 단	ː	矢,	12,	형성	
❺ 答	대답 답		竹,	12,	형성	

준4급 한자(400字) 표제훈음

참고 ※선정한자 표제훈음보다 자세한 것은 자전이나 교재 『장원급제Ⅲ』를 참고하시오.
: : 장음, (:) : 장 · 단음 공용한자 例) ❹ 4급, ④ 준4급을 표시함.

한자	표제훈음	장·단음	부수	총획	육서	간체자
❺ 當	마땅할 당		田,	13,	형성,	当
④ 堂	집 당		土,	11,	형성	
④ 待	기다릴 대	:	彳,	9,	형성	
❺ 對	대답할 대	:	寸,	14,	회의,	对
❺ 代	대신할 대	:	人,	5,	형성	
❼ 大	큰 대	(:)	大,	3,	상형	
④ 德	덕 덕		彳,	15,	형성	
④ 圖	그림 도		囗,	14,	회의,	图
❺ 道	길 도	(:)	辵,	13,	회의	
④ 度	법도 도 헤아릴 탁	:	广,	9,	형성	
❺ 刀	칼 도		刀,	2,	상형	
❺ 讀	읽을 독 구절 두		言,	22,	형성,	读

준4급 한자(400字) 표제훈음

참고 ※선정한자 표제훈음보다 자세한 것은 자전이나 교재『장원급제Ⅲ』를 참고하시오.
: : 장음, (:) : 장 · 단음 공용한자 例) ❹ 4급, ④ 준4급을 표시함.

한자	표제훈음	장·단음	부수	총획	육서	간체자
❺ 冬	겨울 동	(:)	冫,	5,	회의	
❺ 洞	고을 동 꿰뚫을 통	:	水,	9,	형성	
❽ 東	동녘 동		木,	8,	회의,	东
④ 童	아이 동	:	立,	12,	형성	
④ 動	움직일 동	:	力,	11,	형성,	动
⑤ 同	한가지 동		口,	6,	회의	
❺ 頭	머리 두		頁,	16,	형성,	头
❺ 等	무리 등	:	竹,	12,	회의	
❺ 登	오를 등		癶,	12,	회의	
④ 落	떨어질 락		艸,	13,	형성	
❺ 樂	즐거울 락 풍류악/좋아할 요		木,	15,	상형,	乐
❺ 來	올 래	(:)	人,	8,	상형,	來

준4급 한자(400字) 표제훈음

참고 * ※선정한자 표제훈음보다 자세한 것은 자전이나 교재『장원급제Ⅲ』를 참고하시오.
ː: 장음, (ː): 장·단음 공용한자
例) ❹ 4급, ④ 준4급을 표시함.

한자	표제훈음	장·단음	부수	총획	육서	간체자
④ 良	어질 량		艮,	7,	상형	
④ 歷	지낼 력		止,	16,	형성,	历
⑤ 力	힘 력		力,	2,	상형	
④ 例	법식 례	ː	人,	8,	형성	
④ 禮	예도 례		示,	18,	회·형,	礼
④ 路	길 로	ː	足,	13,	형성	
❺ 老	늙을 로	ː	老,	6,	상형	
④ 勞	수고로울 로		力,	12,	회의,	劳
④ 綠	푸를 록		糸,	14,	형성,	绿
④ 流	흐를 류		水,	10,	회의	
❽ 六	여섯 륙 여섯 뉴		八,	4,	지사	
❺ 里	마을 리	ː	里,	7,	회의	

준4급 한자(400字) 표제훈음

참고 ※선정한자 표제훈음보다 자세한 것은 자전이나 교재『장원급제Ⅲ』를 참고하시오.
: : 장음, (:) : 장 · 단음 공용한자 例) ❹ 4급, ④ 준4급을 표시함.

한자	표제훈음	장·단음	부수	총획	육서	간체자
❺ 理	다스릴 리	:	玉,	11,	형성	
④ 李	오얏 리	:	木,	7,	형성	
❺ 利	이로울 리	:	刀,	7,	회의	
❻ 林	수풀 림		木,	8,	회의	
⑤ 立	설 립		立,	5,	회의	
❻ 馬	말 마	:	馬,	10,	상형,	马
❺ 萬	일만 만	:	艸,	13,	상형,	万
⑤ 末	끝 말		木,	5,	지사	
④ 亡	망할 망		亠,	3,	회의	
❺ 每	매양 매	:	毋,	7,	형성	
④ 買	살 매	:	貝,	12,	회의,	买
④ 賣	팔 매	(:)	貝,	15,	회의,	卖

HAN 준4급 한자(400字) 표제훈음

참고 ※선정한자 표제훈음보다 자세한 것은 자전이나 교재 『장원급제Ⅲ』를 참고하시오.
ː: 장음, (ː): 장 · 단음 공용한자 例) ❹ 4급, ④ 준4급을 표시함.

한자	표제훈음	장·단음	부수	총획	육서	간체자
❺ 面	낯 면	ː	面,	9,	상형	
❺ 命	목숨 명	ː	口,	8,	회의	
❺ 明	밝을 명		日,	8,	회의	
❻ 名	이름 명		口,	6,	회의	
❽ 母	어머니 모	ː	毋,	5,	상형	
❺ 毛	털 모		毛,	4,	상형	
❽ 木	나무 목 모과 모		木,	4,	상형	
❼ 目	눈 목		目,	5,	상형	
❺ 無	없을 무		火,	12,	회의,	无
⑤ 文	글월 문		文,	4,	상형	
❺ 聞	들을 문	(ː)	耳,	14,	형성,	闻
❽ 門	문 문		門,	8,	상형,	门

준4급 한자(400字) 표제훈음

참고 ※선정한자 표제훈음보다 자세한 것은 자전이나 교재 『장원급제Ⅲ』를 참고하시오.
ː : 장음, (ː) : 장 · 단음 공용한자 例) ❹ 4급, ④ 준4급을 표시함.

한자	표제훈음	장·단음	부수	총획	육서	간체자
❺ 問	물을 문	ː	口,	11,	형성,	问
❺ 物	물건 물		牛,	8,	형성	
❺ 米	쌀 미		米,	6,	상형	
④ 美	아름다울 미	(ː)	羊,	9,	회의	
❺ 民	백성 민		氏,	5,	회의	
④ 朴	순박할 박		木,	6,	형성	
❺ 班	나눌 반		玉,	10,	회·형	
④ 反	돌이킬 반	ː	又,	4,	회의	
❺ 半	절반 반	ː	十,	5,	회의	
④ 發	필 발	ː	癶,	12,	형성,	发
❺ 放	놓을 방	(ː)	攴,	8,	형성	
⑤ 方	모 방		方,	4,	상형	

준4급 한자(400字) 표제훈음

참고 ※선정한자 표제훈음보다 자세한 것은 자전이나 교재『장원급제Ⅲ』를 참고하시오.
ː : 장음, (ː) : 장 · 단음 공용한자

例) ❹ 4급, ④ 준4급을 표시함.

한자	표제훈음	장·단음	부수	총획	육서	간체자
❻ 百	일백 백		白,	6,	형성	
❼ 白	흰 백		白,	5,	지사	
❺ 番	차례 번		田,	12,	상형	
④ 法	법 법		水,	8,	회의	
❺ 別	다를 별		刀,	7,	회의	
④ 兵	군사 병		八,	7,	회의	
④ 病	병 병	ː	疒,	10,	형성	
❺ 步	걸음 보	ː	止,	7,	회의	
④ 福	복 복		示,	14,	형성	
④ 服	옷 복		月,	8,	형성	
⑤ 本	근본 본		木,	5,	지사	
④ 奉	받들 봉	ː	大,	8,	회·형	

HAN 준4급 한자(400字) 표제훈음

참고 * ※선정한자 표제훈음보다 자세한 것은 자전이나 교재『장원급제Ⅲ』를 참고하시오.
ː: 장음, (ː): 장·단음 공용한자 例) ❹ 4급, ④ 준4급을 표시함.

한자	표제훈음	장·단음	부수	총획	육서	간체자
❺ 部	거느릴 부		邑,	11,	형성	
⑤ 不	아니 불 아니 부	ː	一,	4,	상형	
❽ 父	아버지 부 남자미칭 보		父,	4,	회의	
⑤ 夫	지아비 부		大,	4,	회의	
❽ 北	북녘 북 달아날 배		匕,	5,	회의	
❺ 分	나눌 분 푼 푼	(ː)	刀,	4,	회의	
④ 冰	얼음 빙		冫,	6,	회의,	氷
❽ 四	넉 사	ː	囗,	5,	지사	
❺ 社	모일 사		示,	8,	회의	
④ 仕	벼슬할 사	(ː)	人,	5,	형성	
④ 思	생각 사	(ː)	心,	9,	회의	
⑤ 士	선비 사	ː	士,	3,	상형	

준4급 한자(400字) 표제훈음

참고 ※선정한자 표제훈음보다 자세한 것은 자전이나 교재『장원급제Ⅲ』를 참고하시오.
ː : 장음, (ː) : 장 · 단음 공용한자 例) ❹ 4급, ④ 준4급을 표시함.

한자	표제훈음	장·단음	부수	총획	육서	간체자
④ 史	역사 사		口,	5,	회의	
❺ 事	일 사	ː	亅,	8,	회의	
❺ 死	죽을 사	ː	歹,	6,	회의	
④ 使	하여금 사	ː	人,	8,	회의	
❼ 山	메(뫼) 산		山,	3,	상형	
④ 算	셈 산	ː	竹,	14,	회의	
❽ 三	석 삼		一,	3,	지사	
④ 相	서로 상		目,	9,	회의	
❼ 上	위 상	ː	一,	3,	지사	
❺ 色	빛 색		色,	6,	회의	
❻ 生	날 생		生,	5,	상형	
❺ 書	글 서		曰,	10,	형성,	书

준4급 한자(400字) 표제훈음

참고 ※선정한자 표제훈음보다 자세한 것은 자전이나 교재『장원급제Ⅲ』를 참고하시오.
ː : 장음, (ː) : 장·단음 공용한자
例) ❹ 4급, ④ 준4급을 표시함.

한자	표제훈음	장·단음	부수	총획	육서	간체자
❽ 西	서녘 서		西,	6,	상형	
❻ 石	돌 석		石,	5,	상형	
④ 席	자리 석		巾,	10,	형성	
⑤ 夕	저녁 석		夕,	3,	지사	
❻ 先	먼저 선		儿,	6,	회의	
❺ 線	줄 선		糸,	15,	형성,	线
④ 雪	눈 설		雨,	11,	형성	
④ 省	살필 성 덜 생		目,	9,	회의	
❻ 姓	성씨 성	ː	女,	8,	회·형	
❺ 性	성품 성	ː	心,	8,	형·회	
❺ 成	이룰 성		戈,	7,	형성	
⑤ 世	세상 세	ː	一,	5,	지사	

준4급 한자(400字) 표제훈음

참고 ※선정한자 표제훈음보다 자세한 것은 자전이나 교재『장원급제Ⅲ』를 참고하시오.
ː : 장음, (ː) : 장 · 단음 공용한자 例) ❹ 4급, ④ 준4급을 표시함.

한자	표제훈음	장·단음	부수	총획	육서	간체자
④ 洗	씻을 세	ː	水,	9,	형성	
❺ 所	바 소	ː	户,	8,	형성	
④ 消	사라질 소		水,	10,	형성	
❼ 小	작을 소	ː	小,	3,	회·지	
⑤ 少	적을 소	ː	小,	4,	형성	
④ 速	빠를 속		辵,	11,	형성	
④ 孫	손자 손	(ː)	子,	10,	회의,	孙
④ 樹	나무 수		木,	16,	형성,	树
❺ 首	머리 수		首,	9,	상형	
❽ 水	물 수		水,	4,	상형	
④ 數	셈 수 자주삭/빽빽할 촉	ː	攴,	15,	형성,	数
❼ 手	손 수	(ː)	手,	4,	상형	

준4급 한자(400字) 표제훈음

참고 * ※선정한자 표제훈음보다 자세한 것은 자전이나 교재『장원급제Ⅲ』를 참고하시오.
: : 장음, (:) : 장 · 단음 공용한자 例) ❹ 4급, ④ 준4급을 표시함.

한자	표제훈음	장·단음	부수	총획	육서	간체자
④ 宿	잠잘 숙 별 수	(:)	宀,	11,	형성	
④ 順	순할 순	:	頁,	12,	회·형,	顺
④ 術	재주 술		行,	11,	형성,	术
④ 習	익힐 습		羽,	11,	회의,	习
④ 勝	이길 승		力,	12,	형성,	胜
❺ 詩	글 시		言,	13,	형성,	诗
❺ 時	때 시		日,	10,	형성,	时
❺ 示	보일 시	:	示,	5,	지사	
❺ 市	저자 시	:	巾,	5,	회·형	
④ 始	처음 시		女,	8,	형성	
⑤ 食	먹을 식 밥 사		食,	9,	회의	
④ 式	법 식		弋,	6,	형성	

준4급 한자(400字) 표제훈음

참고 * ※선정한자 표제훈음보다 자세한 것은 자전이나 교재『장원급제Ⅲ』를 참고하시오.
ː : 장음, (ː) : 장 · 단음 공용한자 例) ❹ 4급, ④ 준4급을 표시함.

한자	표제훈음	장·단음	부수	총획	육서	간체자
❺ 植	심을 식		木,	12,	형성,	植
❺ 神	귀신 신		示,	10,	형성	
❺ 身	몸 신		身,	7,	상형	
❺ 信	믿을 신	ː	人,	9,	회의	
❺ 新	새로울신		斤,	13,	회·형	
④ 臣	신하 신		臣,	6,	상형	
④ 實	열매 실		宀,	14,	회의,	实
④ 失	잃을 실		大,	5,	형성	
❺ 室	집 실		宀,	9,	회·형	
❻ 心	마음 심		心,	4,	상형	
❽ 十	열 십 열 시		十,	2,	지사	
④ 兒	아이 아		儿,	8,	상형,	儿

준4급 한자(400字) 표제훈음

참고 * ※선정한자 표제훈음보다 자세한 것은 자전이나 교재『장원급제Ⅲ』를 참고하시오.
ː : 장음, (ː) : 장 · 단음 공용한자 例) ❹ 4급, ④ 준4급을 표시함.

한자	표제훈음	장·단음	부수	총획	육서	간체자
❺ 安	편안할 안		宀,	6,	회의	
⑤ 央	가운데 앙		大,	5,	회의	
④ 愛	사랑 애	ː	心,	13,	형성,	爱
④ 野	들 야	ː	里,	11,	형성	
❺ 夜	밤 야	ː	夕,	8,	형성	
④ 藥	약 약	ː	艸,	19,	형성,	药
❺ 弱	약할 약		弓,	10,	회의	
④ 陽	볕 양		阜,	12,	형성,	阳
❻ 羊	양 양		羊,	6,	상형	
④ 洋	큰바다 양		水,	9,	형성	
④ 漁	고기잡을 어		水,	14,	형성,	渔
❺ 語	말씀 어	ː	言,	14,	형성,	语

준4급 한자(400字) 표제훈음

참고 ※선정한자 표제훈음보다 자세한 것은 자전이나 교재『장원급제Ⅲ』를 참고하시오.
: : 장음, (:) : 장·단음 공용한자
例) ❹ 4급, ④ 준4급을 표시함.

한자	표제훈음	장·단음	부수	총획	육서	간체자
❻ 魚	물고기 어		魚,	11,	상형,	鱼
④ 億	억 억		人,	15,	형성,	亿
❺ 言	말씀 언		言,	7,	회의	
④ 業	일 업		木,	13,	상형,	业
④ 如	같을 여		女,	6,	형성	
④ 然	그럴 연		火,	12,	형성	
❺ 永	길 영	:	水,	5,	상형	
❺ 英	꽃부리 영		艸,	9,	형성	
❺ 午	낮 오	:	十,	4,	상형	
❽ 五	다섯 오	:	二,	4,	지사	
❻ 玉	구슬 옥		玉,	5,	상형	
④ 溫	따뜻할 온		水,	13,	형성,	温

준4급 한자(400字) 표제훈음

참고 * ※선정한자 표제훈음보다 자세한 것은 자전이나 교재『장원급제Ⅲ』를 참고하시오.
: : 장음, (:) : 장 · 단음 공용한자 例) ❹ 4급, ④ 준4급을 표시함.

한자	표제훈음	장·단음	부수	총획	육서	간체자
⑤ 王	임금 왕		玉,	4,	지사	
❼ 外	바깥 외	:	夕,	5,	회의	
④ 要	구할 요		襾,	9,	상형	
④ 勇	날쌜 용	:	力,	9,	형성	
❺ 用	쓸 용	:	用,	5,	회의	
❺ 友	벗 우	:	又,	4,	회의	
❻ 牛	소 우		牛,	4,	상형	
❼ 右	오른 우	:	口,	5,	회의	
④ 雲	구름 운	:	雨,	12,	형성,	云
④ 運	움직일 운		辵,	13,	형성,	运
④ 園	동산 원		囗,	13,	형성,	园
❺ 遠	멀 원	:	辵,	14,	형성,	远

준4급 한자(400字) 표제훈음

참고 ※선정한자 표제훈음보다 자세한 것은 자전이나 교재 『장원급제Ⅲ』를 참고하시오.
ː : 장음, (ː) : 장 · 단음 공용한자 例) ❹ 4급, ④ 준4급을 표시함.

한자	표제훈음	장·단음	부수	총획	육서	간체자
❺ 原	언덕,근본 원		厂,	10,	회의	
❺ 元	으뜸 원		儿,	4,	회의	
④ 院	집 원		阜,	10,	형성	
❽ 月	달 월		月,	4,	상형	
⑤ 位	자리 위		人,	7,	회의	
④ 油	기름 유		水,	8,	형성	
④ 由	말미암을 유		田,	5,	상형	
❺ 有	있을 유	ː	月,	6,	회·형	
❺ 肉	고기 육		肉,	6,	상형	
❺ 育	기를 육		肉,	8,	회·형	
❺ 銀	은 은		金,	14,	형성,	银
④ 飮	마실 음	ː	食,	13,	형·회,	饮

준4급 한자(400字) 표제훈음

참고 ※선정한자 표제훈음보다 자세한 것은 자전이나 교재 『장원급제Ⅲ』를 참고하시오.
ː : 장음, (ː) : 장 · 단음 공용한자 例) ❹ 4급, ④ 준4급을 표시함.

한자	표제훈음	장·단음	부수	총획	육서	간체자
❺ 音	소리 음		音,	9,	지사	
❺ 邑	고을 읍		邑,	7,	회의	
❺ 意	뜻 의	ː	心,	13,	회의	
⑤ 衣	옷 의		衣,	6,	상형	
④ 醫	의원 의		酉,	18,	회의,	医
❻ 耳	귀 이	ː	耳,	6,	상형	
❽ 二	두 이	ː	二,	2,	지사	
④ 以	써 이	ː	人,	5,	형성	
❽ 人	사람 인		人,	2,	상형	
④ 因	인할 인		口,	6,	회의	
❽ 日	날 일		日,	4,	상형	
❽ 一	한 일		一,	1,	지사	

준4급 한자(400字) 표제훈음

참고 * ※선정한자 표제훈음보다 자세한 것은 자전이나 교재『장원급제Ⅲ』를 참고하시오.
: : 장음, (:) : 장 · 단음 공용한자 例) ❹ 4급, ④ 준4급을 표시함.

한자	표제훈음	장·단음	부수	총획	육서	간체자
④ 任	맡길 임	(:)	人,	6,	형성	
❼ 入	들 입		入,	2,	상형	
⑤ 字	글자 자		子,	6,	회·형	
④ 者	놈 자		老,	9,	회의,	者
⑤ 自	스스로 자		自,	6,	상형	
❽ 子	아들 자		子,	3,	상형	
④ 昨	어제 작		日,	9,	형성	
❺ 作	지을 작		人,	7,	형성	
④ 章	글 장		立,	11,	회의	
❺ 長	긴 장	(:)	長,	8,	상형,	长
❺ 場	마당 장 도량 량		土,	12,	형성,	场
④ 再	두 재	:	冂,	6,	회의	

준4급 한자(400字) 표제훈음

참고 ※선정한자 표제훈음보다 자세한 것은 자전이나 교재『장원급제Ⅲ』를 참고하시오.
: : 장음, (:) : 장 · 단음 공용한자
例) ❹ 4급, ④ 준4급을 표시함.

한자	표제훈음	장·단음	부수	총획	육서	간체자
④ 在	있을 재		土,	6,	형성	
④ 材	재목 재		木,	7,	형성	
❺ 才	재주 재		手,	3,	지사	
④ 的	과녁 적		白,	8,	형성	
④ 赤	붉을 적		赤,	7,	회의	
❺ 田	밭 전		田,	5,	상형	
❺ 電	번개 전	:	雨,	13,	형성,	电
④ 典	법 전	:	八,	8,	회의	
④ 戰	싸움 전	:	戈,	16,	형성,	战
❺ 前	앞 전		刀,	9,	형성	
❺ 全	온전할 전		入,	6,	회의	
④ 展	펼 전	:	尸,	10,	형성	

준4급 한자(400字) 표제훈음

참고 ※선정한자 표제훈음보다 자세한 것은 자전이나 교재 『장원급제Ⅲ』를 참고하시오.
ː : 장음, (ː) : 장 · 단음 공용한자 例) ❹ 4급, ④ 준4급을 표시함.

한자	표제훈음	장·단음	부수	총획	육서	간체자
④ 庭	뜰 정		广,	10,	형·회	
⑤ 正	바를 정	(ː)	止,	5,	회의	
④ 定	정할 정	ː	宀,	8,	회의	
❽ 弟	아우 제	ː	弓,	7,	회의	
④ 題	제목 제		頁,	18,	형성,	题
④ 第	차례 제	ː	竹,	11,	형·회	
❺ 朝	아침 조		月,	12,	형성	
❺ 祖	할아비 조		示,	10,	형성	
④ 族	겨레 족	ː	方,	11,	회의	
❼ 足	발 족		足,	7,	상형	
④ 卒	군사 졸		十,	8,	회의	
❼ 左	왼 좌	ː	工,	5,	회의	

준4급 한자(400字) 표제훈음

참고 ※선정한자 표제훈음보다 자세한 것은 자전이나 교재『장원급제Ⅲ』를 참고하시오.
ː : 장음, (ː) : 장 · 단음 공용한자 例) ❹ 4급, ④ 준4급을 표시함.

한자	표제훈음	장·단음	부수	총획	육서	간체자
④ 州	고을 주		巛,	6,	상형	
❺ 晝	낮 주		日,	11,	회의,	昼
④ 注	물댈 주	ː	水,	8,	형성	
❺ 住	살 주	ː	人,	7,	형성	
⑤ 主	주인 주		丶,	5,	상형	
❺ 竹	대 죽		竹,	6,	상형	
❼ 中	가운데 중		丨,	4,	지사	
❺ 重	무거울 중	ː	里,	9,	형성	
④ 止	그칠 지		止,	4,	상형	
❻ 地	땅 지		土,	6,	형성	
④ 知	알 지		矢,	8,	회의	
④ 紙	종이 지		糸,	10,	형성,	纸

준4급 한자(400字) 표제훈음

참고 ※선정한자 표제훈음보다 자세한 것은 자전이나 교재『장원급제Ⅲ』를 참고하시오.
: : 장음, (:) : 장 · 단음 공용한자 例) ❹ 4급, ④ 준4급을 표시함.

한자	표제훈음	장·단음	부수	총획	육서	간체자
❺ 直	곧을 직		目,	8,	회의,	直
④ 集	모일 집		隹,	12,	회의	
④ 參	참여할 참 석 삼		厶,	11,	형성,	参
④ 窓	창문 창		穴,	11,	형성,	窗
④ 責	꾸짖을 책		貝,	11,	형성,	责
❻ 川	내 천		巛,	3,	상형	
❻ 千	일천 천		十,	3,	지사	
❻ 天	하늘 천		大,	4,	회의	
④ 淸	맑을 청		水,	11,	형성,	清
❼ 靑	푸를 청		靑,	8,	형성,	青
④ 體	몸 체		骨,	23,	형성,	体
④ 初	처음 초		刀,	7,	회의	

준4급 한자(400字) 표제훈음

참고 ※선정한자 표제훈음보다 자세한 것은 자전이나 교재『장원급제III』를 참고하시오.
ː : 장음, (ː) : 장 · 단음 공용한자 例) ❹ 4급, ④ 준4급을 표시함.

한자	표제훈음		장·단음	부수	총획	육서	간체자
❺ 草	풀	초		艸,	10,	형성	
⑤ 寸	마디	촌	ː	寸,	3,	지사	
❺ 村	마을	촌	ː	木,	7,	형성	
❺ 秋	가을	추		禾,	9,	형성	
❺ 春	봄	춘		日,	9,	회의	
❼ 出	날	출		凵,	5,	회의	
④ 充	채울	충		儿,	6,	형성	
❺ 親	친할	친		見,	16,	형성,	亲
❽ 七	일곱	칠		一,	2,	지사	
❺ 太	클	태		大,	4,	지사	
❽ 土	흙	토		土,	3,	상형	
❺ 通	통할	통		辵,	11,	형성	

준4급 한자(400字) 표제훈음

참고 * ※선정한자 표제훈음보다 자세한 것은 자전이나 교재『장원급제Ⅲ』를 참고하시오.
ː: 장음, (ː): 장 · 단음 공용한자 例) ❹ 4급, ④ 준4급을 표시함.

한자	표제훈음	장·단음	부수	총획	육서	간체자
④ 特	특별할 특		牛,	10,	형성	
❽ 八	여덟 팔 여덟 파		八,	2,	지사	
❺ 貝	조개 패	ː	貝,	7,	상형,	贝
❺ 便	편할 편 똥오줌 변	(ː)	人,	9,	회의	
❺ 平	평평할 평		干,	5,	회의	
④ 表	겉 표	ː	衣,	8,	회의	
④ 品	물건 품		口,	9,	회의	
④ 風	바람 풍		風,	9,	형성,	风
④ 必	반드시 필		心,	5,	회의	
④ 河	물 하		水,	8,	형성	
❼ 下	아래 하	ː	一,	3,	지사	
❺ 夏	여름 하	ː	夊,	10,	회의	

준4급 한자(400字) 표제훈음

참고 ※선정한자 표제훈음보다 자세한 것은 자전이나 교재『장원급제Ⅲ』를 참고하시오.
ː: 장음, (ː): 장 · 단음 공용한자 例) ❹ 4급, ④ 준4급을 표시함.

한자	표제훈음	장·단음	부수	총획	육서	간체자
❺ 學	배울 학		子,	16,	형·회,	学
❺ 韓	나라이름 한	(ː)	韋,	17,	형성,	韩
❺ 漢	한수 한	ː	水,	14,	형성,	汉
❺ 合	합할 합 홉 홉		口,	6,	회의	
❺ 海	바다 해	ː	水,	10,	형성	
❺ 行	다닐 행 항렬 항	(ː)	行,	6,	상형	
④ 幸	다행 행	ː	干,	8,	회의	
⑤ 向	향할 향	ː	口,	6,	상형	
④ 現	나타날 현	ː	玉,	11,	형성,	现
❺ 血	피 혈		血,	6,	지사	
❽ 兄	맏 형		儿,	5,	회의	
❺ 形	모양 형		彡,	7,	형성	

준4급 한자(400字) 표제훈음

참고 ※선정한자 표제훈음보다 자세한 것은 자전이나 교재『장원급제Ⅲ』를 참고하시오.
ː : 장음, (ː) : 장 · 단음 공용한자 例) ❹ 4급, ④ 준4급을 표시함.

한자	표제훈음	장·단음	부수	총획	육서	간체자
④ 號	이름 호	ː	虍,	13,	형성,	号
④ 畫	그림 화 그을 획	ː	田,	12,	회의,	画
❺ 花	꽃 화		艸,	8,	형성	
④ 化	될,변화할 화	(ː)	匕,	4,	회의	
❺ 話	말씀 화	(ː)	言,	13,	형성,	话
❽ 火	불 화	(ː)	火,	4,	상형	
❺ 和	화할,화목할 화		口,	8,	형성	
❺ 活	살 활		水,	9,	형성	
❺ 黃	누를 황		黃,	12,	형성,	黄
❺ 會	모일 회	ː	曰,	13,	회의,	会
❺ 孝	효도 효	ː	子,	7,	회의	
❺ 後	뒤 후	ː	彳,	9,	회의	

준4급 한자(400字) 표제훈음

참고 * ※선정한자 표제훈음보다 자세한 것은 자전이나 교재 『장원급제Ⅲ』를 참고하시오.
ː : 장음, (ː) : 장 · 단음 공용한자 例) ❹ 4급, ④ 준4급을 표시함.

한자	표제훈음	장·단음	부수	총획	육서	간체자
④ 訓	가르칠 훈	ː	言,	10,	형성,	训
⑤ 休	쉴 휴		人,	6,	회의	
④ 凶	흉할 흉		凵,	4,	지사	
④ 黑	검을 흑		黑,	12,	회의	

준4급 신출한자(150字)쓰기본

▶ 다음은 준4급에 추가된 신출한자 150字입니다. 다음 한자를 정자로 쓰고 아래 한자어의 讀音을 쓰시오.

加	加	加						

더할 가 力, 5획 加速( ), 參加( )

可	可	可						

옳을 가 口, 5획 可決( ), 可能( )

角	角	角						

뿔 각 角, 7획 頭角( ), 直角( )

感	感	感						

느낄 감 心, 13획 感氣( ), 感動( )

客	客	客						

손님 객 宀, 9획 客席( ), 主客( )

[☞ 글씨는 뒷표지 안쪽 기본 점획표를 익혀 정자로 바르게 씁시다.]

※획수는 총 획수를 나타냄

▶ 다음은 준4급에 추가된 신출한자 150字입니다. 다음 한자를 정자로 쓰고 아래 한자어의 讀音을 쓰시오.

格 格 格

격식 격 木, 10획 格式( ), 性格( )

決 決 決

결단할결 水, 7획 決定( ), 決勝( )

結 結 結

맺을 결 糸, 12획 結果( ), 結實( )

輕 輕 輕

가벼울경 車, 14획 輕油( ), 輕重( )

敬 敬 敬

공경할경 攴, 13획 敬老( ), 敬意( )

[☞ 글씨는 뒷표지 안쪽 기본 점획표를 익혀 정자로 바르게 씁시다.]

※획수는 총 획수를 나타냄

▶ 다음은 준4급에 추가된 신출한자 150字입니다. 다음 한자를 정자로 쓰고 아래 한자어의 讀音을 쓰시오.

界	界	界						

지경 계 田, 9획 世界( ), 學界( )

苦	苦	苦						

괴로울고 艸, 9획 苦生( ), 勞苦( )

考	考	考						

상고할고 老, 6획 再考( ), 思考( )

告	告	告						

알릴 고 口, 7획 告白( ), 公告( )

曲	曲	曲						

굽을 곡 曰, 6획 曲直( ), 作曲( )

[☞ 글씨는 뒷표지 안쪽 기본 점획표를 익혀 정자로 바르게 씁시다.] ※획수는 총 획수를 나타냄

준4급 신출한자(150字)쓰기본

▶ 다음은 준4급에 추가된 신출한자 150字입니다. 다음 한자를 정자로 쓰고 아래 한자어의 讀音을 쓰시오.

公	公	公						

공변될공 八, 4획 | 公共(　　　　), 公園(　　　　)

果	果	果						

과실 과 木, 8획 | 果實(　　　　), 成果(　　　　)

過	過	過						

지날 과 辵, 13획 | 過去(　　　　), 過食(　　　　)

球	球	球						

공 구 玉, 11획 | 地球(　　　　), 球形(　　　　)

郡	郡	郡						

고을 군 邑, 10획 | 郡界(　　　　), 郡民(　　　　)

[☞ 글씨는 뒷표지 안쪽 기본 점획표를 익혀 정자로 바르게 씁시다.] ※획수는 총 획수를 나타냄

준4급 신출한자(150字)쓰기본

▶ 다음은 준4급에 추가된 신출한자 150字입니다. 다음 한자를 정자로 쓰고 아래 한자어의 讀音을 쓰시오.

貴	貴	貴						

귀할 귀 貝, 12획 貴族( ), 貴重( )

根	根	根						

뿌리 근 木, 10획 根本( ), 根性( )

級	級	級						

등급 급 糸, 10획 級數( ), 級友( )

吉	吉	吉						

길할 길 口, 6획 吉運( ), 不吉( )

能	能	能						

능할 능 肉, 10획 可能( ), 才能( )

[☞ 글씨는 뒷표지 안쪽 기본 점획표를 익혀 정자로 바르게 씁시다.]

※획수는 총 획수를 나타냄

준4급 신출한자(150字)쓰기본

▶ 다음은 준4급에 추가된 신출한자 150字입니다. 다음 한자를 정자로 쓰고 아래 한자어의 讀音을 쓰시오.

堂	堂	堂						

집 당 土, 11획 堂堂( ), 食堂( )

待	待	待						

기다릴대 彳, 9획 苦待( ), 待合室( )

德	德	德						

덕 덕 彳, 15획 美德( ), 德性( )

圖	圖	圖						

그림 도 囗, 14획 圖表( ), 地圖( )

度	度	度						

법도 도 广, 9획 用度( ), 溫度( )

[☞ 글씨는 뒷표지 안쪽 기본 점획표를 익혀 정자로 바르게 씁시다.] ※획수는 총 획수를 나타냄

준4급 신출한자(150字)쓰기본

漢字를 알면 世上이 보인다!!

▶ 다음은 준4급에 추가된 신출한자 150字입니다. 다음 한자를 정자로 쓰고 아래 한자어의 讀音을 쓰시오.

童 童 童

아이 동 立, 12획 童詩( ), 兒童( )

動 動 動

움직일동 力, 11획 運動( ), 感動( )

落 落 落

떨어질락 艸, 13획 急落( ), 村落( )

良 良 良

어질 량 艮, 7획 良心( ), 良藥( )

歷 歷 歷

지낼 력 止, 16획 來歷( ), 歷任( )

[☞ 글씨는 뒷표지 안쪽 기본 점획표를 익혀 정자로 바르게 씁시다.] ※획수는 총 획수를 나타냄

▶ 다음은 준4급에 추가된 신출한자 150字입니다. 다음 한자를 정자로 쓰고 아래 한자어의 讀音을 쓰시오.

例	例	例						

법식 례 人, 8획 事例( ), 實例( )

禮	禮	禮						

예도 례 示, 18획 禮法( ), 禮服( )

路	路	路						

길 로 足, 13획 路面( ), 路線( )

勞	勞	勞						

수고로울로 力, 12획 勞使( ), 勞苦( )

綠	綠	綠						

푸를 록 糸, 14획 綠草( ), 綠色( )

[☞ 글씨는 뒷표지 안쪽 기본 점획표를 익혀 정자로 바르게 씁시다.] ※획수는 총 획수를 나타냄

▶ 다음은 준4급에 추가된 신출한자 150字입니다. 다음 한자를 정자로 쓰고 아래 한자어의 讀音을 쓰시오.

流	流	流						

흐를 류 水, 10획 氣流( ), 電流( )

李	李	李						

오얏 리 木, 7획 李朝( ), 行李( )

亡	亡	亡						

망할 망 亠, 3획 亡國( ), 亡命( )

買	買	買						

살 매 貝, 12획 賣買( ), 不買( )

賣	賣	賣						

팔 매 貝, 15획 賣物( ), 賣場( )

[☞ 글씨는 뒷표지 안쪽 기본 점획표를 익혀 정자로 바르게 씁시다.] ※획수는 총 획수를 나타냄

준4급 신출한자(150字)쓰기본

漢字를 알면 世上이 보인다!!

▶ 다음은 준4급에 추가된 신출한자 150字입니다. 다음 한자를 정자로 쓰고 아래 한자어의 讀音을 쓰시오.

美 美 美

아름다울미 羊, 9획 美化( ), 八方美人( )

朴 朴 朴

순박할박 木, 6획 朴直( )

反 反 反

돌이킬반 又, 4획 反感( ), 反對( )

發 發 發

필 발 癶, 12획 開發( ), 發展( )

法 法 法

법 법 水, 8획 法院( ), 合法( )

[☞ 글씨는 뒷표지 안쪽 기본 점획표를 익혀 정자로 바르게 씁시다.]

※획수는 총 획수를 나타냄

준4급 신출한자(150字)쓰기본

▶ 다음은 준4급에 추가된 신출한자 150字입니다. 다음 한자를 정자로 쓰고 아래 한자어의 讀音을 쓰시오.

兵	兵	兵						

군사 병 八, 7획 兵士( ), 步兵( )

病	病	病						

병 병 疒, 10획 問病( ), 發病( )

福	福	福						

복 복 示, 14획 幸福 ( ), 福利( )

服	服	服						

옷 복 月, 8획 衣服( ), 韓服( )

奉	奉	奉						

받들 봉 大, 8획 奉命( ), 信奉( )

[☞ 글씨는 뒷표지 안쪽 기본 점획표를 익혀 정자로 바르게 씁시다.] ※획수는 총 획수를 나타냄

▶ 다음은 준4급에 추가된 신출한자 150字입니다. 다음 한자를 정자로 쓰고 아래 한자어의 讀音을 쓰시오.

冰	冰	冰						

얼음 빙 冫, 6획 冰水(　　　　), 結冰(　　　　)

仕	仕	仕						

벼슬할사 人, 5획 出仕(　　　　)

思	思	思						

생각 사 心, 9획 思考(　　　　), 意思(　　　　)

史	史	史						

역사 사 口, 5획 史記(　　　　), 史實(　　　　)

使	使	使						

하여금사 人, 8획 使命(　　　　), 使用(　　　　)

[☞ 글씨는 뒷표지 안쪽 기본 점획표를 익혀 정자로 바르게 씁시다.]　※획수는 총 획수를 나타냄

준4급 신출한자(150字)쓰기본

▶ 다음은 준4급에 추가된 신출한자 150字입니다. 다음 한자를 정자로 쓰고 아래 한자어의 讀音을 쓰시오.

算	算	算						

셈 산 竹, 14획 | 加算( ), 勝算( )

相	相	相						

서로 상 目, 9획 | 相反( ), 實相( )

席	席	席						

자리 석 巾, 10획 | 首席( ), 出席( )

雪	雪	雪						

눈 설 雨, 11획 | 白雪( ), 雪原( )

省	省	省						

살필 성 目, 9획 | 反省( ), 自省( )

[☞ 글씨는 뒷표지 안쪽 기본 점획표를 익혀 정자로 바르게 씁시다.]

※획수는 총 획수를 나타냄

▶ 다음은 준4급에 추가된 신출한자 150字입니다. 다음 한자를 정자로 쓰고 아래 한자어의 讀音을 쓰시오.

洗	洗	洗						

씻을 세 水, 9획 : 洗面( ), 洗車( )

消	消	消						

사라질소 水, 10획 : 消風( ), 消化( )

速	速	速						

빠를 속 辵, 11획 : 速記( ), 風速( )

孫	孫	孫						

손자 손 子, 10획 : 孫子( ), 祖孫( )

樹	樹	樹						

나무 수 木, 16획 : 樹木( ), 植樹( )

[☞ 글씨는 뒷표지 안쪽 기본 점획표를 익혀 정자로 바르게 씁시다.] ※획수는 총 획수를 나타냄

▶ 다음은 준4급에 추가된 신출한자 150字입니다. 다음 한자를 정자로 쓰고 아래 한자어의 讀音을 쓰시오.

數	數	數						

셈 수 攴, 15획 | 數億( ), 數學( )

宿	宿	宿						

잠잘 숙 宀, 11획 | 宿所( ), 宿食( )

順	順	順						

순할 순 頁, 12획 | 順理( ), 順番( )

術	術	術						

재주 술 行, 11획 | 醫術( ), 美術( )

習	習	習						

익힐 습 羽, 11획 | 實習( ), 學習( )

[☞ 글씨는 뒷표지 안쪽 기본 점획표를 익혀 정자로 바르게 씁시다.] ※획수는 총 획수를 나타냄

▶ 다음은 준4급에 추가된 신출한자 150字입니다. 다음 한자를 정자로 쓰고 아래 한자어의 讀音을 쓰시오.

勝	勝	勝						
이길 승 力, 12획	樂勝(　　　　), 勝利(　　　　)							

始	始	始						
처음 시 女, 8획	開始(　　　　), 始末(　　　　)							

式	式	式						
법 식 弋, 6획	格式(　　　　), 方式(　　　　)							

臣	臣	臣						
신하 신 臣, 6획	功臣(　　　　), 臣下(　　　　)							

實	實	實						
열매 실 宀, 14획	果實(　　　　), 實現(　　　　)							

[☞ 글씨는 뒷표지 안쪽 기본 점획표를 익혀 정자로 바르게 씁시다.]

※획수는 총 획수를 나타냄

준4급 신출한자(150字)쓰기본

漢字를 알면 世上이 보인다!!

▶ 다음은 준4급에 추가된 신출한자 150字입니다. 다음 한자를 정자로 쓰고 아래 한자어의 讀音을 쓰시오.

失	失	失						
잃을 실	大, 5획	過失( ), 失禮( )						

兒	兒	兒						
아이 아	儿, 8획	兒童( ), 育兒( )						

愛	愛	愛						
사랑 애	心, 13획	友愛( ), 親愛( )						

野	野	野						
들 야	里, 11획	野外( ), 林野( )						

藥	藥	藥						
약 약	艸, 19획	農藥( ), 醫藥( )						

[☞ 글씨는 뒷표지 안쪽 기본 점획표를 익혀 정자로 바르게 씁시다.]

※획수는 총 획수를 나타냄

▶ 다음은 준4급에 추가된 신출한자 150字입니다. 다음 한자를 정자로 쓰고 아래 한자어의 讀音을 쓰시오.

陽	陽	陽						

별 양 阜, 12획 太陽( ), 落陽( )

洋	洋	洋						

큰바다양 水, 9획 海洋( ), 太平洋( )

漁	漁	漁						

고기잡을어 水, 14획 漁業( ), 漁場( )

億	億	億						

억 억 人, 15획 數億( ), 億萬長者( )

業	業	業						

일 업 木, 13획 開業( ), 農業( )

[☞ 글씨는 뒷표지 안쪽 기본 점획표를 익혀 정자로 바르게 씁시다.] ※획수는 총 획수를 나타냄

준4급 신출한자(150字)쓰기본

▶ 다음은 준4급에 추가된 신출한자 150字입니다. 다음 한자를 정자로 쓰고 아래 한자어의 讀音을 쓰시오.

如	如	如						

같을 여 女, 6획 如意( ), 如前( )

然	然	然						

그럴 연 火, 12획 當然( ), 必然( )

溫	溫	溫						

따뜻할온 水, 13획 溫氣( ), 溫和( )

要	要	要						

구할 요 襾, 9획 必要( ), 要因( )

勇	勇	勇						

날쌜 용 力, 9획 勇氣( ), 勇戰( )

[☞ 글씨는 뒷표지 안쪽 기본 점획표를 익혀 정자로 바르게 씁시다.]

※획수는 총 획수를 나타냄

HAN

준4급 신출한자(150字)쓰기본

漢字를 알면 世上이 보인다!!

▶ 다음은 준4급에 추가된 신출한자 150字입니다. 다음 한자를 정자로 쓰고 아래 한자어의 讀音을 쓰시오.

雲	雲	雲						
구름 운 雨, 12획	戰雲( ), 雲集( )							

運	運	運						
움직일운 辶, 13획	運動( ), 運命( )							

園	園	園						
동산 원 口, 13획	公園( ), 花園( )							

院	院	院						
집 원 阜, 10획	學院( ), 韓醫院( )							

油	油	油						
기름 유 水, 8획	油田( ), 注油( )							

[☞ 글씨는 뒷표지 안쪽 기본 점획표를 익혀 정자로 바르게 씁시다.]

※획수는 총 획수를 나타냄

준4급 신출한자(150字)쓰기본

漢字를 알면 世上이 보인다!!

▶ 다음은 준4급에 추가된 신출한자 150字입니다. 다음 한자를 정자로 쓰고 아래 한자어의 讀音을 쓰시오.

由	由	由						

말미암을 유 田, 5획 | 理由( ), 自由( )

飮	飮	飮						

마실 음 食, 13획 | 飮食( ), 過飮( )

醫	醫	醫						

의원 의 酉, 18획 | 醫院( ), 無醫村( )

以	以	以						

써 이 人, 5획 | 所以( ), 以前( )

因	因	因						

인할 인 口, 6획 | 因果( ), 要因( )

[☞ 글씨는 뒷표지 안쪽 기본 점획표를 익혀 정자로 바르게 씁시다.]

※획수는 총 획수를 나타냄

▶ 다음은 준4급에 추가된 신출한자 150字입니다. 다음 한자를 정자로 쓰고 아래 한자어의 讀音을 쓰시오.

任	任	任						

맡길 임 人, 6획 任命( ), 責任( )

者	者	者						

놈 자 老, 9획 記者( ), 年少者( )

昨	昨	昨						

어제 작 日, 9획 昨今( ), 昨年( )

章	章	章						

글 장 立, 11획 文章( ), 體力章( )

再	再	再						

두 재 冂, 6획 再考( ), 再發( )

[☞ 글씨는 뒷표지 안쪽 기본 점획표를 익혀 정자로 바르게 씁시다.]

※획수는 총 획수를 나타냄

준4급 신출한자(150字)쓰기본

▶ 다음은 준4급에 추가된 신출한자 150字입니다. 다음 한자를 정자로 쓰고 아래 한자어의 讀音을 쓰시오.

在	在	在						

있을 재 土, 6획 | 現在( ), 在學( )

材	材	材						

재목 재 木, 7획 | 教材( ), 人材( )

的	的	的						

과녁 적 白, 8획 | 的中( ), 法的 ( )

赤	赤	赤						

붉을 적 赤, 7획 | 赤色( ), 赤字( )

典	典	典						

법 전 八, 8획 | 古典( ), 法典( )

[☞ 글씨는 뒷표지 안쪽 기본 점획표를 익혀 정자로 바르게 씁시다.] ※획수는 총 획수를 나타냄

▶ 다음은 준4급에 추가된 신출한자 150字입니다. 다음 한자를 정자로 쓰고 아래 한자어의 讀音을 쓰시오.

戰	戰	戰						

싸움 전 戈, 16획 | 反戰( ), 戰友( )

展	展	展						

펼 전 尸, 10획 | 展開( ), 展示( )

庭	庭	庭						

뜰 정 广, 10획 | 家庭( ), 庭園( )

定	定	定						

정할 정 宀, 8획 | 定式( ), 安定( )

題	題	題						

제목 제 頁, 18획 | 題目( ), 問題( )

[☞ 글씨는 뒷표지 안쪽 기본 점획표를 익혀 정자로 바르게 씁시다.] ※획수는 총 획수를 나타냄

▶ 다음은 준4급에 추가된 신출한자 150字입니다. 다음 한자를 정자로 쓰고 아래 한자어의 讀音을 쓰시오.

第	第	第						

차례 제 竹, 11획 第一( ), 落第( )

族	族	族						

겨레 족 方, 11획 家族( ), 民族( )

卒	卒	卒						

군사 졸 十, 8획 卒業( ), 卒兵( )

州	州	州						

고을 주 巛, 6획 州郡( ), 淸州( )

注	注	注						

물댈 주 水, 6획 注目( ), 注意( )

[☞ 글씨는 뒷표지 안쪽 기본 점획표를 익혀 정자로 바르게 씁시다.] ※획수는 총 획수를 나타냄

준4급 신출한자(150字)쓰기본

▶ 다음은 준4급에 추가된 신출한자 150字입니다. 다음 한자를 정자로 쓰고 아래 한자어의 讀音을 쓰시오.

止	止	止						

그칠 지 止, 4획 | 中止(　　　　), 止血(　　　　)

知	知	知						

알 지 矢, 8획 | 知性(　　　　), 通知(　　　　)

紙	紙	紙						

종이 지 糸, 10획 | 用紙(　　　　), 紙面(　　　　)

集	集	集						

모일 집 隹, 12획 | 詩集(　　　　), 集合(　　　　)

參	參	參						

참여할참 厶, 11획 | 參加(　　　　), 參考(　　　　)

[☞ 글씨는 뒷표지 안쪽 기본 점획표를 익혀 정자로 바르게 씁시다.]

※획수는 총 획수를 나타냄

준4급 신출한자(150字) 쓰기본

▶ 다음은 준4급에 추가된 신출한자 150字입니다. 다음 한자를 정자로 쓰고 아래 한자어의 讀音을 쓰시오.

窓	窓	窓						

창문 창 穴, 11획 | 同窓( ), 窓口( )

責	責	責						

꾸짖을책 貝, 11획 | 責任( ), 重責( )

清	清	清						

맑을 청 水, 11획 | 清明( ), 清算( )

體	體	體						

몸 체 骨, 23획 | 身體( ), 體溫( )

初	初	初						

처음 초 刀, 7획 | 初等( ), 初步( )

[☞ 글씨는 뒷표지 안쪽 기본 점획표를 익혀 정자로 바르게 씁시다.] ※획수는 총 획수를 나타냄

준4급 신출한자(150字)쓰기본

▶ 다음은 준4급에 추가된 신출한자 150字입니다. 다음 한자를 정자로 쓰고 아래 한자어의 讀音을 쓰시오.

充	充	充						

채울 충 儿, 6획 充當(　　　　), 充足(　　　　)

特	特	特						

특별할특 牛, 10획 特別(　　　　), 特使(　　　　)

表	表	表						

겉 표 衣, 8획 表紙(　　　　), 表示(　　　　)

品	品	品						

물건 품 口, 9획 品性(　　　　), 物品(　　　　)

風	風	風						

바람 풍 風, 9획 風樂(　　　　), 風向(　　　　)

[☞ 글씨는 뒷표지 안쪽 기본 점획표를 익혀 정자로 바르게 씁시다.] ※획수는 총 획수를 나타냄

▶ 다음은 준4급에 추가된 신출한자 150字입니다. 다음 한자를 정자로 쓰고 아래 한자어의 讀音을 쓰시오.

必	必	必						

반드시필 心, 5획 必讀( ), 必勝( )

河	河	河						

물 하 水, 8획 河川( ), 江河( )

幸	幸	幸						

다행 행 干, 8획 多幸( ), 幸福( )

現	現	現						

나타날현 玉, 11획 現在( ), 實現( )

號	號	號						

이름 호 虍, 13획 國號( ), 番號( )

[☞ 글씨는 뒷표지 안쪽 기본 점획표를 익혀 정자로 바르게 씁시다.] ※획수는 총 획수를 나타냄

▶ 다음은 준4급에 추가된 신출한자 150字입니다. 다음 한자를 정자로 쓰고 아래 한자어의 讀音을 쓰시오.

畫	畫	畫						

그림 화 田, 12획 畫家( ), 畫順( )

化	化	化						

될 화 ヒ, 4획 强化( ), 現代化( )

訓	訓	訓						

가르칠훈 言, 10획 家訓( ), 教訓( )

凶	凶	凶						

흉할 흉 凵, 4획 凶年( ), 凶作( )

黑	黑	黑						

검을 흑 黑, 12획 黑白( ), 黑心( )

[☞ 글씨는 뒷표지 안쪽 기본 점획표를 익혀 정자로 바르게 씁시다.] ※획수는 총 획수를 나타냄

◈ 준4급 선정한자 중 신출한자 150字입니다. 다음 한자의 훈음(뜻과 소리)을 쓰시오.(41 ~ 70쪽을 참고 하시오)

※한글을 정자로 바르게 쓰시오.

본보기	中	가운데 중

한자	훈음
加	
可	
角	
感	
客	
格	
決	
結	
輕	
敬	
界	
苦	
考	
告	
曲	
公	
果	
過	

◈ 준4급 선정한자 중 신출한자 150字입니다. 다음 한자의 훈음(뜻과 소리)을 쓰시오.(41~70쪽을 참고 하시오)

※한글을 정자로 바르게 쓰시오.

본보기	中	가운데 중

한자	훈음	한자	훈음
球		德	
郡		圖	
貴		度	
根		童	
級		動	
吉		落	
能		良	
堂		歷	
待		例	

◈ 준4급 선정한자 중 신출한자 150字입니다. 다음 한자의 훈음(뜻과 소리)을 쓰시오.(41~70쪽을 참고 하시오)

※한글을 정자로 바르게 쓰시오.

본보기	中	가운데 중

한자	훈음	한자	훈음
禮		美	
路		朴	
勞		反	
綠		發	
流		法	
李		兵	
亡		病	
買		福	
賣		服	

◈ 준4급 선정한자 중 신출한자 150字입니다. 다음 한자의 훈음(뜻과 소리)을 쓰시오.(41~70쪽을 참고 하시오)

※한글을 정자로 바르게 쓰시오.

본보기	中	가운데 중

奉		雪	
冰		省	
仕		洗	
思		消	
史		速	
使		孫	
算		樹	
相		數	
席		宿	

◈ 준4급 선정한자 중 신출한자 150字입니다. 다음 한자의 훈음(뜻과 소리)을 쓰시오.(41~70쪽을 참고 하시오)

※한글을 정자로 바르게 쓰시오.

본보기	中	가운데 중

順		兒	
術		愛	
習		野	
勝		藥	
始		陽	
式		洋	
臣		漁	
實		億	
失		業	

◈ 준4급 선정한자 중 신출한자 150字입니다. 다음 한자의 훈음(뜻과 소리)을 쓰시오.(41~70쪽을 참고 하시오)

※한글을 정자로 바르게 쓰시오.

본보기	中	가운데 중

如	
然	
溫	
要	
勇	
雲	
運	
園	
院	

油	
由	
飮	
醫	
以	
因	
任	
者	
昨	

◈ 준4급 선정한자 중 신출한자 150字입니다. 다음 한자의 훈음(뜻과 소리)을 쓰시오.(41 ~ 70쪽을 참고 하시오)

※한글을 정자로 바르게 쓰시오.

본보기	中	가운데 중

章		庭	
再		定	
在		題	
材		第	
的		族	
赤		卒	
典		州	
戰		注	
展		止	

◈ 준4급 선정한자 중 신출한자 150字입니다. 다음 한자의 훈음(뜻과 소리)을 쓰시오.(41 ~ 70쪽을 참고 하시오)

※한글을 정자로 바르게 쓰시오.

본보기	中	가운데 중

한자	훈음
知	
紙	
集	
參	
窓	
責	
清	
體	
初	
充	
特	
表	
品	
風	
必	
河	
幸	
現	

◈ 준4급 선정한자 중 신출한자 150字입니다. 다음 한자의 훈음(뜻과 소리)을 쓰시오.(41 ~ 70쪽을 참고 하시오)

※한글을 정자로 바르게 쓰시오.

본보기	中	가운데 중

號			
畫			
化			
訓			
凶			
黑			

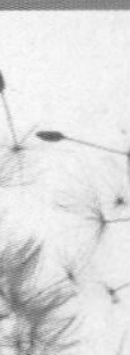

◈ 준4급 선정한자 중 신출한자 150字입니다. 다음 훈음(뜻과 소리)에 맞는 한자를 쓰시오.(41~70쪽을 참고 하시오)

※한자를 정자로 바르게 쓰시오.

본보기	가운데 중	中

훈음	한자
더할 가	
옳을 가	
뿔 각	
느낄 감	
손님 객	
격식 격	
결단할 결	
맺을 결	
가벼울 경	
공경할 경	
지경 계	
괴로울 고	
상고할 고	
알릴 고	
굽을 곡	
공변될 공	
과실 과	
지날 과	

◈ 준4급 선정한자 중 신출한자 150字입니다. 다음 훈음(뜻과 소리)에 맞는 한자를 쓰시오.(41~70쪽을 참고 하시오)

※한자를 정자로 바르게 쓰시오.

본보기	가운데 중	中

훈음	한자	훈음	한자
공 구		덕 덕	
고을 군		그림 도	
귀할 귀		법도 도	
뿌리 근		아이 동	
등급 급		움직일 동	
길할 길		떨어질 락	
능할 능		어질 량	
집 당		지낼 력	
기다릴 대		법식 례	

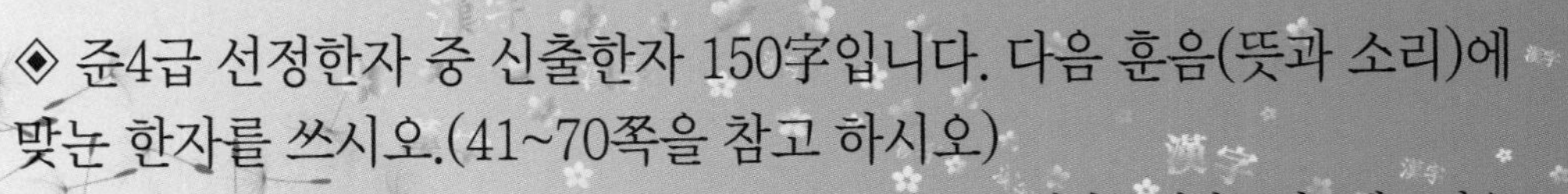

◈ 준4급 선정한자 중 신출한자 150字입니다. 다음 훈음(뜻과 소리)에 맞는 한자를 쓰시오.(41~70쪽을 참고 하시오)

※한자를 정자로 바르게 쓰시오.

본보기	가운데 중	中

훈음	한자
예도 례	
길 로	
수고로울 로	
푸를 록	
흐를 류	
오얏 리	
망할 망	
살 매	
팔 매	

훈음	한자
아름다울 미	
순박할 박	
돌이킬 반	
필 발	
법 법	
군사 병	
병 병	
복 복	
옷 복	

◈ 준4급 선정한자 중 신출한자 150字입니다. 다음 훈음(뜻과 소리)에 맞는 한자를 쓰시오.(41~70쪽을 참고 하시오)

※한자를 정자로 바르게 쓰시오.

본보기	가운데 중	中

훈음	한자	훈음	한자
받들 봉		눈 설	
얼음 빙		살필 성	
벼슬할 사		씻을 세	
생각 사		사라질 소	
역사 사		빠를 속	
하여금 사		손자 손	
셈 산		나무 수	
서로 상		셈 수	
자리 석		잠잘 숙	

◈ 준4급 선정한자 중 신출한자 150字입니다. 다음 훈음(뜻과 소리)에 맞는 한자를 쓰시오.(41~70쪽을 참고 하시오)

※한자를 정자로 바르게 쓰시오.

본보기	가운데 중	中

훈음	한자	훈음	한자
순할 순		아이 아	
재주 술		사랑 애	
익힐 습		들 야	
이길 승		약 약	
처음 시		볕 양	
법 식		큰바다 양	
신하 신		고기잡을어	
열매 실		억 억	
잃을 실		일 업	

◈ 준4급 선정한자 중 신출한자 150字입니다. 다음 훈음(뜻과 소리)에 맞는 한자를 쓰시오.(41~70쪽을 참고 하시오)

※한자를 정자로 바르게 쓰시오.

본보기	가운데 중	中

훈음	한자	훈음	한자
같을 여		기름 유	
그럴 연		말미암을유	
따뜻할 온		마실 음	
구할 요		의원 의	
날쌜 용		써 이	
구름 운		인할 인	
움직일 운		맡길 임	
동산 원		놈 자	
집 원		어제 작	

◈ 준4급 선정한자 중 신출한자 150字입니다. 다음 훈음(뜻과 소리)에 맞는 한자를 쓰시오.(41~70쪽을 참고 하시오)

※한자를 정자로 바르게 쓰시오.

본보기	가운데 중	中

훈음	한자
글 장	
두 재	
있을 재	
재목 재	
과녁 적	
붉을 적	
법 전	
싸움 전	
펼 전	
뜰 정	
정할 정	
제목 제	
차례 제	
겨레 족	
군사 졸	
고을 주	
물댈 주	
그칠 지	

◈ 준4급 선정한자 중 신출한자 150字입니다. 다음 훈음(뜻과 소리)에 맞는 한자를 쓰시오.(41~70쪽을 참고 하시오)

※한자를 정자로 바르게 쓰시오.

본보기	가운데 중	中

훈음	한자
알 지	
종이 지	
모일 집	
참여할 참	
창문 창	
꾸짖을 책	
맑을 청	
몸 체	
처음 초	
채울 충	
특별할 특	
겉 표	
물건 품	
바람 풍	
반드시 필	
물 하	
다행 행	
나타날 현	

◈ 준4급 선정한자 중 신출한자 150字입니다. 다음 훈음(뜻과 소리)에 맞는 한자를 쓰시오.(41~70쪽을 참고 하시오)

※한자를 정자로 바르게 쓰시오.

본보기	가운데 중	中

이름 호			
그림 화			
될 화			
가르칠 훈			
흉할 흉			
검을 흑			

한자어(漢字語)에 알맞은 독음(讀音)쓰기

◈다음 漢字語의 讀音을 쓰고 그 낱말의 뜻을 읽혀 봅시다.

본보기	火木	화목	땔나무

漢字語	讀音	뜻
歌曲		노래와 곡조
加入		단체나 조직에 들어감
角度		각의 크기
間言		이간하는 말
感動		깊이 느끼어 마음이 움직임
客室		손님을 접대하거나 거처하게 정하여 놓은 방
犬馬之勞		자기의 노력
見物生心		물건을 보고 욕심이 생김
決意		뜻을 정하여 굳게 먹음
敬老		노인을 공경함
輕重		가벼움과 무거움
計算		수를 헤아림
考古		옛일을 고찰함
告發		남의 범죄 사실을 경찰이나 검찰에 알리는 일

曲線	구부러진 선
公立	공공 단체가 설립하고 유지함
功勞	어떤 목적을 이루는데 힘쓴 노력이나 수고
公式	규정에 의한 방식
公園	공공의 놀이터
過速	일정한 표준에서 지나친 속도
過勞	몸이 아플 정도로 지나치게 일함
果實	먹을 수 있는 나무의 열매
去來	물건이나 돈 등을 서로 주고받음

敬語	높임말
教材	수업에 쓰이는 재료
區別	종류에 따라 갈라 놓음
球形	공처럼 둥근 모양
根本	사물이 생겨나는 근원
記號	어떤 뜻을 나타내는 부호
吉凶	좋고 나쁨

ㄴ

落書	장난으로 쓰는 글씨

落後	뒤떨어짐
南男北女	우리나라에서 남쪽 지방은 남자, 북쪽지방은 여자가 아름답다는 말
男兒	남자아이
男女老少	남자와 여자와 늙은이와 젊은이
來歷	겪어온 자취
勞苦	수고롭게 애씀
路面	길바닥
勞使	노동자와 사용자
農業	농사짓는 직업
農場	농사지을 땅과 여러 시설을 갖춘 곳
能力	감당할 수 있는 힘

ㄷ

多幸	일이 좋게 됨, 운수가 좋음
堂堂	매우 의젓하고 떳떳함, 형세가 웅대함
當然	그렇게 되어야 마땅함
德性	어질고 너그러운 성질
德化	덕행으로써 교화시킴
道理	사람으로서 지켜야 할 길

圖表	그림으로 그리어 나타낸 표
讀者	신문 따위를 읽는 사람
動力	물체를 움직이는 힘, 기계를 운전하는 힘
東問西答	묻는 말에 당치않은 엉뚱한 대답을 함
童心	어린이의 순진한 마음
動作	무슨 일을 하려고 몸을 움직임 또는 그런 몸놀림
同族	같은 겨레
同窓	같은 학교를 졸업한 사람
童話	어린이에게 들려줄 얘기
登場	무대 같은 데에 나옴

ㅁ

馬耳東風	남의 말을 귀담아 듣지 않고 곧 흘려버림을 이르는 말
馬車	말이 끄는 수레
賣買	물건을 팔고 삼
名曲	유명한 곡·노래
木材	나무 재료
問病	앓는 사람을 찾아보고 위로함
聞一知十	하나를 듣고 열가지를 짐작함

門前成市	권세가나 부자가 되어 집 앞이 방문객으로 저자를 이루다시피 함
問責	잘못을 따지고 책망함
文化	사람의 지혜로 세상이 열리고 생활이 보다 편리하게 되는 일
美化	아름답게 함
民族	겨레

ㅂ

反對	남의 말이나 의견에 맞서서 거스름
反省	자신의 언행을 돌이켜 봄
發育	발달하여 크게 자람
發表	널리 드러내어 세상에 알림
方法	어떤 목적을 이루기 위한 수단
百年河清	중국의 황하가 항상 흐리어 맑을 때가 없다는 말로, 아무리 오래되어도 사물이 이루어지기 어렵다는 뜻
百發百中	총·활 등이 겨눈 곳에 꼭꼭 맞는다는 뜻으로 앞서 생각한 일들이 꼭꼭 들어맞음
百戰百勝	싸우는 때마다 모조리 이김
法典	법률에 관한 책
別世	세상을 떠남
兵書	병법에 관한 책
病室	환자가 드는 방

病弱	병으로 몸이 약해짐
病院	병을 치료해 주는 곳
福利	행복과 이익
服用	약을 먹음
奉讀	남의 글을 받들어 읽음
奉仕	남을 위하여 일함
冰山	남극과 북극 빙하의 얼음이 밀려 내려와서 바다에 산처럼 떠 있는 얼음 덩어리

ㅅ

事實	실제로 있었던 일
使用	물건을 씀
四海兄弟	온 천하 사람이 다 형제와 같다는 뜻으로 친밀히 이르는 말
史話	역사에 관한 이야기
算數	보통 교육에서 가르치는 초등수학
算出	계산하여 냄
三日天下	짧은 동안 정권을 잡았다가 곧 실패함을 뜻함
相對	서로 마주 봄
上級	위의 등급, 높은 계급
先頭	첫머리, 맨 앞

性能	일을 해내는 힘
世界	지구 위의 인류 사회 전체
洗面	얼굴을 씻음
消失	사라져 없어짐
消火	붙은 불을 끔
速度	빠른 정도
速力	빠른 힘
樹立	어떤 사업을 이룩하여 세움
手術	몸의 일부를 째거나 잘라내어 병을 치료함
水魚之交	아주 친밀하여 떨어질 수 없는 사이
宿題	미리 내어주는 문제나 과제
宿直	관청, 직장 등에서 잠을 자면서 건물이나 시설 따위를 지키는 일
習性	버릇이 되어 버린 성질
詩歌	시와 노래
始發	맨 처음의 출발이나 발차
始作	처음으로 함
市場	매일 또는 정기적으로 사람이 모여 상품을 매매하는 곳
新春	새봄, 새해

信號	일정한 부호로 의사를 전함
失格	자격을 잃음
失禮	말이나 행동이 예의에 벗어남
實習	실제로 해보고 익힘
失業	직업을 잃음
十中八九	열 가운데 여덟이나 아홉이 됨. 거의 다 됨을 가리키는 말

ㅇ

安定	안전하게 자리잡음
愛情	사랑하는 마음
藥物	약제가 되는 물질
洋服	서양식으로 만든 옷
良書	내용이 좋은 책, 유익한 책
良藥苦口	효험이 좋은 약은 입에 쓰다는 뜻으로 충언은 귀에는 거슬리나 자신에게 이롭다는 말
陽地	햇볕이 바로 드는 땅
漁父之利	쌍방이 다투는 틈을 타서 제 삼자가 애쓰지 않고 가로챈 이득
魚族	물고기의 종족
億萬	억, 썩 많은 수효
言中有骨	예사로운 말 같으나 그 속에 단단한 속뜻이 들어 있음

歷史	사회의 변천과 발전의 발자취
英才	뛰어난 재주를 가진 사람
溫度	덥고 찬 정도
溫順	온화하고 순함
溫和	날씨가 맑고 따뜻하며 바람이 부드러움, 마음이 부드럽고 순함
要因	일의 성립에 필요한 원인
勇氣	씩씩한 의기
運動	몸을 놀리어 움직임, 여러 가지 경기
雲集	구름같이 많이 모여듦
運河	배가 다닐 수 있도록 인공으로 크게 판 수로
原因	근본 까닭
油田	석유가 나는 곳
油畫	기름기 있는 채색으로 그린 서양식의 그림
育兒	어린 아이를 기름
育英	영재를 가르쳐 기름, 곧 교육을 일컬음
醫藥	의료에 쓰는 약품
音樂	소리에 의한 예술
耳目	남들의 주의

以上	문서, 목록 등의 끝맺음을 나타내는 말
因果	원인과 결과
因習	이전부터 전하여 내려오는 풍습
任用	직무를 맡겨서 등용함
任意	마음대로 함

ㅈ

自問自答	제가 묻고 제가 답함
昨年	지난해
作心三日	결심이 사흘을 가지 못함, 결심이 굳지 못함을 이르는 말
才能	재주와 능력
材木	건축의 재료로 쓰는 나무
再活	다시 살림
再會	다시 만남
赤色	붉은 빛
赤字	수입보다 지출이 많음
的中	목표에 가서 들어맞음
展開	열려 벌어짐
電光石火	극히 짧은 시간, 아주 신속한 동작

傳記	개인 일생을 적은 기록
卒業	규정한 과정을 마침
戰力	전쟁을 해나갈 능력
注目	눈 여겨 자세히 살펴봄
戰死	전쟁에서 싸우다 죽음
主語	한 문장에서 주격이 되는 말
展示	벌여놓고 일반에게 보임
主要	가장 중요하고 소중함
戰友	전쟁에서 함께 싸우는 벗
注油	기름을 넣음
田園	논밭, 시골, 교외
注意	마음에 새겨 두어 조심함
題目	겉장에 쓴 책의 이름
主題	예술 작품에서의 근본적인 문제나 중심적인 사상, 주가 되는 제목
第一	가장 소중한 것, 첫 번째
竹馬之友	어릴 때부터의 친구
朝會	아침에 모임을 갖는 것
知己	서로 마음을 잘 알아 뜻이 통하는 벗

한자		뜻
地圖		지구 표면의 일부 또는 전부를 일정한 축척에 의해 평면상에 나타낸 그림
知音		음을 앎, 거문고 소리를 앎, 자기 마음을 아는 친한 벗
集合		한 군데로 모임

ㅊ

한자		뜻
參加		어떤 모임이나 단체에 낌
參考		살펴서 생각함, 참조하여 고증함
參席		자리에 참여함
責任		맡아서 해야 할 일
天然		본래 그대로
清明		날씨가 맑고 밝음
青天白日		맑게 갠 날
體溫		사람이나 동물의 몸의 온도
體育		몸을 건강하게 하는 교육
體重		몸무게
初等		맨 처음의 등급
初面		처음으로 만나봄
充分		부족이나 결점없이 넉넉함
充足		마음에 차서 부족함이 없음

親切	매우 정답고 인정이 있음

ㅌ

太初	천지가 개벽한 시초

ㅍ

便利	편하고 쉬움
表決	회의 할 때에 가부의 의사를 표시하여 결정함
表面	겉으로 드러난 면
品目	물품의 명목
品性	개인이 가지고 있는 품격과 성질
品行	품성과 행실
必讀	반드시 읽어야 함
必然	꼭, 반드시

ㅎ

下流	강이나 내의 아래편
海洋	크고 넓은 바다
幸運	행복한 운명, 좋은 운명
現在	이제, 지금
形式	겉모습, 격식, 일정한 모양

和音	높이가 다른 둘 이상의 음이 함께 어울려 나는 소리
話題	이야기 거리
後孫	몇대가 지나간 뒤의 자손
訓育	가르쳐 기름
凶年	농작물이 잘 되지 않은 해

낱말에 알맞은 한자(漢字)쓰기

◈ 다음 낱말의 뜻에 알맞은 한자를 쓰시오.

본보기	화목	火木	땔나무

ㄱ

낱말	한자	뜻
가곡		노래와 곡조
가입		단체나 조직에 들어감
각도		각의 크기
간언		이간하는 말
감동		깊이 느끼어 마음이 움직임
객실		손님을 접대하거나 거쳐하게 정하여 놓은 방
견마지로		자기의 노력
견물생심		물건을 보고 욕심이 생김
결의		뜻을 정하여 굳게 먹음
경로		노인을 공경함
경중		가벼움과 무거움
계산		수를 헤아림
고고		옛일을 고찰함
고발		남의 범죄 사실을 경찰이나 검찰에 알리는 일

곡선	구부러진 선
공립	공공 단체가 설립하고 유지함
공로	어떤 목적을 이루는데 힘쓴 노력이나 수고
공식	규정에 의한 방식
공원	공공의 놀이터
과속	일정한 표준에서 지나친 속도
과로	몸이 아플 정도로 지나치게 일함
과실	먹을 수 있는 나무의 열매
거래	물건이나 돈 등을 서로 주고받음
경어	높임말
교재	수업에 쓰이는 재료
구별	종류에 따라 갈라 놓음
구형	공처럼 둥근 모양
근본	사물이 생겨나는 근원
기호	어떤 뜻을 나타내는 부호
길흉	좋고 나쁨

ㄴ

낙서	장난으로 쓰는 글씨

낙후	뒤떨어짐
남남북녀	우리나라에서 남쪽 지방은 남자, 북쪽지방은 여자가 아름답다는 말
남아	남자아이
남녀노소	남자와 여자와 늙은이와 젊은이
내력	겪어온 자취
노고	수고롭게 애씀
노면	길바닥
노사	노동자와 사용자
농업	농사짓는 직업
농장	농사지을 땅과 여러 시설을 갖춘 곳
능력	감당할 수 있는 힘

ㄷ

다행	일이 좋게 됨, 운수가 좋음
당당	매우 의젓하고 떳떳함, 형세가 웅대함
당연	그렇게 되어야 마땅함
덕성	어질고 너그러운 성질
덕화	덕행으로써 교화시킴
도리	사람으로서 지켜야 할 길

도표	그림으로 그리어 나타낸 표
독자	신문 따위를 읽는 사람
동력	물체를 움직이는 힘, 기계를 운전하는 힘
동문서답	묻는 말에 당치않은 엉뚱한 대답을 함
동심	어린이의 순진한 마음
동작	무슨 일을 하려고 몸을 움직임, 또는 그런 몸놀림
동족	같은 겨레
동창	같은 학교를 졸업한 사람
동화	어린이에게 들려줄 얘기
등장	무대 같은 데에 나옴

ㅁ

마이동풍	남의 말을 귀담아 듣지 않고 곧 흘려버림을 이르는 말
마차	말이 끄는 수레
매매	물건을 팔고 삼
명곡	유명한 곡·노래
목재	나무 재료
문병	앓는 사람을 찾아보고 위로함
문일지십	하나를 듣고 열가지를 짐작함

문전성시	권세가나 부자가 되어 집 앞이 방문객으로 저자를 이루다시피 함
문책	잘못을 따지고 책망함
문화	사람의 지혜로 세상이 열리고 생활이 보다 편리하게 되는 일
미화	아름답게 함
민족	겨레

ㅂ

반대	남의 말이나 의견에 맞서서 거스름
반성	자신의 언행을 돌이켜 봄
발육	발달하여 크게 자람
발표	널리 드러내어 세상에 알림
방법	어떤 목적을 이루기 위한 수단
백년하청	중국의 황하가 항상 흐려 맑을 때가 없다는 말로, 아무리 오래 되어도 사물이 이루어지기 어렵다는 뜻
백발백중	총할 등이 겨눈 곳에 꼭꼭 맞는다는 뜻으로 앞서 생각한 일들이 꼭꼭 들어맞음
백전백승	싸우는 때마다 모조리 이김
법전	법률에 관한 책
별세	세상을 떠남
병서	병법에 관한 책
병실	환자가 드는 방

병약	병으로 몸이 약해짐
병원	병을 치료해 주는 곳
복리	행복과 이익
복용	약을 먹음
봉독	남의 글을 받들어 읽음
봉사	남을 위하여 일함
빙산	남극과 북극 빙하의 얼음이 밀려 내려와서 바다에 산처럼 떠 있는 얼음 덩어리

ㅅ

사실	실제로 있었던 일
사용	물건을 씀
사해형제	온 천하 사람이 다 형제와 같다는 뜻으로 친밀히 이르는 말
사화	역사에 관한 이야기
산수	보통 교육에서 가르치는 초등수학
산출	계산하여 냄
삼일천하	짧은 동안 정권을 잡았다가 곧 실패함을 뜻함
상대	서로 마주 봄
상급	위의 등급, 높은 계급
선두	첫머리, 맨 앞

성능	일을 해내는 힘
세계	지구 위의 인류 사회 전체
세면	얼굴을 씻음
소실	사라져 없어짐
소화	붙은 불을 끔
속도	빠른 정도
속력	빠른 힘
수립	어떤 사업을 이룩하여 세움
수술	몸의 일부를 째거나 잘라내어 병을 치료함

수어지교	아주 친밀하여 떨어질 수 없는 사이
숙제	미리 내어주는 문제나 과제
숙직	관청, 직장 등에서 잠을 자면서 건물이나 시설 따위를 지키는 일
습성	버릇이 되어 버린 성질
시가	시와 노래
시발	맨 처음의 출발이나 발차
시작	처음으로 함
시장	매일 또는 정기적으로 사람이 모여 상품을 매매하는 곳
신춘	새봄, 새해

신호	일정한 부호로 의사를 전함
실격	자격을 잃음
실례	말이나 행동이 예의에 벗어남
실습	실제로 해보고 익힘
실업	직업을 잃음
십중팔구	열 가운데 여덟이나 아홉이 됨. 거의 다 됨을 가리키는 말

ㅇ

안정	안전하게 자리잡음
애정	사랑하는 마음
약물	약제가 되는 물질
양복	서양식으로 만든 옷
양서	내용이 좋은 책, 유익한 책
양약고구	효험이 좋은 약은 입에 쓰다는 뜻으로 충언은 귀에는 거슬리나 자신에게 이롭다는 말
양지	햇볕이 바로 드는 땅
어부지리	쌍방이 다투는 틈을 타서 제삼자가 애쓰지 않고 가로챈 이득
어족	물고기의 종족
억만	억, 썩 많은 수효
언중유골	예사로운 말 같으나 그 속에 단단한 속뜻이 들어 있음

역사	사회의 변천과 발전의 발자취
영재	뛰어난 재주를 가진 사람
온도	덥고 찬 정도
온순	온화하고 순함
온화	날씨가 맑고 따뜻하며 바람이 부드러움, 마음이 부드럽고 순함
요인	일의 성립에 필요한 원인
용기	씩씩한 의기
운동	몸을 놀리어 움직임, 여러 가지 경기
운집	구름같이 많이 모여듦

운하	배가 다닐 수 있도록 인공으로 크게 판 수로
원인	근본 까닭
유전	석유가 나는 곳
유화	기름기 있는 채색으로 그린 서양식의 그림
육아	어린 아이를 기름
육영	영재를 가르쳐 기름, 곧 교육을 일컬음
의약	의료에 쓰는 약품
음악	소리에 의한 예술
이목	남들의 주의

이상	문서, 목록 등의 끝맺음을 나타내는 말
인과	원인과 결과
인습	이전부터 전하여 내려오는 풍습
임용	직무를 맡겨서 등용함
임의	마음대로 함

ㅈ

자문자답	제가 묻고 제가 답함
작년	지난해
작심삼일	결심이 사흘을 가지 못함, 결심이 굳지 못함을 이르는 말
재능	재주와 능력
재목	건축의 재료로 쓰는 나무
재활	다시 살림
재회	다시 만남
적색	붉은 빛
적자	수입보다 지출이 많음
적중	목표에 가서 들어맞음
전개	열려 벌어짐
전광석화	극히 짧은 시간, 아주 신속한 동작

낱말	뜻
전기	개인 일생을 적은 기록
전력	전쟁을 해나갈 능력
전사	전쟁에서 싸우다 죽음
전시	벌여놓고 일반에게 보임
전우	전쟁에서 함께 싸우는 벗
전원	논밭, 시골, 교외
제목	겉장에 쓴 책의 이름
제일	가장 소중한 것, 첫 번째
조회	아침에 모임을 갖는 것
졸업	규정한 과정을 마침
주목	눈 여겨 자세히 살펴봄
주어	한 문장에서 주격이 되는 말
주요	가장 중요하고 소중함
주유	기름을 넣음
주의	마음에 새겨 두어 조심함
주제	예술 작품에서의 근본적인 문제나 중심적인 사상, 주가 되는 제목
죽마지우	어릴 때부터의 친구
지기	서로 마음을 잘 알아 뜻이 통하는 벗

지도	지구 표면의 일부 또는 전부를 일정한 축척에 의해 평면상에 나타낸 그림
지음	음을 앎, 거문고 소리를 앎, 자기 마음을 아는 친한 벗
집합	한 군데로 모임

ㅊ

참가	어떤 모임이나 단체에 낌
참고	살펴서 생각함, 참조하여 고증함
참석	자리에 참여함
책임	맡아서 해야 할 일
천연	본래 그대로
청명	날씨가 맑고 밝음
청천백일	맑게 갠 날
체온	사람이나 동물의 몸의 온도
체육	몸을 건강하게 하는 교육
체중	몸무게
초등	맨 처음의 등급
초면	처음으로 만나봄
충분	부족이나 결점없이 넉넉함
충족	마음에 차서 부족함이 없음

친절	매우 정답고 인정이 있음

ㅌ

태초	천지가 개벽한 시초

ㅍ

편리	편하고 쉬움
표결	회의 할 때에 가부의 의사를 표시하여 결정함
표면	겉으로 드러난 면
품목	물품의 명목
품성	개인이 가지고 있는 품격과 성질
품행	품성과 행실
필독	반드시 읽어야 함
필연	꼭, 반드시

ㅎ

하류	강이나 내의 아래편
해양	크고 넓은 바다
행운	행복한 운명, 좋은 운명
현재	이제, 지금
형식	겉모습, 격식, 일정한 모양

화음	높이가 다른 둘 이상의 음이 함께 어울려 나는 소리
화제	이야기 거리
후손	몇대가 지나간 뒤의 자손
훈육	가르쳐 기름
흉년	농작물이 잘 되지 않은 해

준4급 (핵심정리)

반의자(反義字)

輕↔重	功↔過	當,登↔落	因↔果
古,昨↔今	教,訓↔學	賣↔買	祖↔孫
苦↔樂	吉↔凶	本,始↔末	主↔客
曲↔直	勞↔使	山↔河	黑↔白

유의자(類義字)

歌=曲	根=本	算=數=計	運=動
江=河=川	道=路	席=位	衣=服
結=合	圖=畫	樹=木	集=會=合
過=去	文=章	始=初	海=洋
過=失	物=品	身=肉=體	幸=福
果=實	兵=卒=軍=士	兒=童	
教=訓	思=考	法=度=典=式	
貴=重	事=業	例=式	

이음동자(異音同字)

告
①알릴고 : 告示(고시)
②뵙고청할곡 : 告寧*(곡녕)

度
①법도도 : 强度(강도), 感度(감도)
②헤아릴탁 : 度支*部(탁지부), 料*度(요탁)

省
①살필성 : 反省(반성)
②덜생 : 省略*(생략)

數
①셈수 : 數理(수리), 數學(수학)
②자주삭 : 數數(삭삭), 頻*數(빈삭)
③빽빽할촉 : 數罟*(촉고)

준4급 (핵심정리)

宿 ①잠잘숙 : 宿所(숙소), 宿食(숙식)
②별수 : 星*宿(성수)

參 ①참여할참 : 參席(참석), 參加(참가)
②석삼 : 參拾*(삼십)

畫 ①그림화 : 畫家(화가), 圖畫(도화)
②그을획 : 畫順(획순)

※寧(편안할녕-준2급), 制(법도제-준3급), 支(지탱할지-4급), 料(헤아릴료-4급), 頻(자주빈-2급), 罟(그물고-사범), 略(간략할략-준3급), 星(별성-4급), 拾(주울습, 열십-준3급)

반의어(反義語)

多元(다원) ↔ 一元(일원)	原因(원인) ↔ 結果(결과)	地下水(지하수) ↔ 地表水(지표수)
動物(동물) ↔ 植物(식물)	月末(월말) ↔ 月初(월초)	夏服(하복) ↔ 冬服(동복)
分院(분원) ↔ 本院(본원)	音讀(음독) ↔ 訓讀(훈독)	幸福(행복) ↔ 不幸(불행)
不法(불법) ↔ 合法(합법)	以北(이북) ↔ 以南(이남)	
新參(신참) ↔ 古參(고참)	立體(입체) ↔ 平面(평면)	
年末(연말) ↔ 年初(연초)	主體(주체) ↔ 客體(객체)	

유의어(類義語)

空席(공석) = 空位(공위)	兵力(병력) = 軍力(군력)	年初 (연초)=年頭 (연두)=年始 (연시)
果樹(과수) = 果木(과목)	病因 (병인)=病根 (병근)=病原 (병원)	肉體(육체) = 肉身(육신)
國號(국호) = 國名(국명)	服用(복용) = 服藥(복약)	昨年(작년) = 去年(거년)
落陽(낙양) = 夕陽(석양)	部落(부락) = 村落(촌락)	前例(전례) = 先例(선례)
道上(도상) = 路上(노상)	史記(사기) = 史書(사서)	題字(제자) = 題書(제서)
同窓(동창) = 同門(동문)	先考(선고) = 先親(선친)	體面(체면) = 面目(면목)
登科(등과) = 登第(등제)	洗手(세수) = 洗面(세면)	親家(친가) = 本家(본가)
等位(등위) = 等級(등급)	植樹(식수) = 植木(식목)	品位(품위) = 品格(품격)
亡夫(망부) = 先夫(선부)	良民(양민) = 良人(양인)	風俗(풍속) = 風氣(풍기)

四字成語(故事成語) 익히기

各自圖生 (각자도생)	각기 서로 다른 자기 생활을 꾀함.
決死反對 (결사반대)	목숨을 내걸고 반대함.
敬老孝親 (경로효친)	노인을 공경하고 어버이께 효도함.
敬天愛人 (경천애인)	하늘을 공경하고 인류를 사랑함.
公明正大 (공명정대)	마음이 공명하며, 조금도 사사로움이 없이 바름.
公正去來 (공정거래)	독점거래나 암거래가 아닌 공정한 거래.
交友以信 (교우이신)	벗 사이에는 믿음으로써 사귀어야 한다는 말. 세속오계(世俗五戒)중의 하나.
教學相長 (교학상장)	남을 가르치거나 스승에게 배우거나 모두 나의 학업을 증진시킨다는 말.
今時初聞 (금시초문)	이제야 비로소 처음 들음.
落花流水 (낙화유수)	(떨어지는 꽃과 흐르는 물)이라는 뜻으로, 가는 봄의 정경을 나타냄. 衰殘零落(쇠잔영락)을 비유하여 이르는 말.
綠水青山 (녹수청산)	푸른 물과 푸른 산.

農不失時
(농불실시)

농삿일은 시기를 놓치지 말아야 한다.

能大能小
(능대능소)

큰 일이나 작은 일이나 임기응변(臨機應變)으로 잘 처리해 냄.

多才多能
(다재다능)

(여러 방면에) 재주와 능력이 많음.

代代孫孫
(대대손손)

대대로 이어 내려오는 자손. 세세손손. 자자손손.

同苦同樂
(동고동락)

같이 고생하고 즐김.

馬耳東風
(마이동풍)

말귀에 봄바람이라는 뜻으로, 남의 비평이나 의견을 조금도 귀담아 듣지 아니함.

明月淸風
(명월청풍)

밝은 달과 시원한 바람. 밝은 달밤에 부는 시원한 바람.

無法天地
(무법천지)

(제도와 질서가 문란하여) 법이 없는 것과 같은 세상. 질서 없는 난폭한 행위가 행하여지는 판.

無不通知
(무불통지)

모든 일에 정통하여 모르는 것이 없음.

聞一知十
(문일지십)

한 가지를 듣고 열 가지를 알아차린다는 뜻. 곧 총명하고 지혜로움을 이르는 말.

百年河淸
(백년하청)

중국의 황하(黃河)강이 항상 흐리어 맑을 때가 없다는 데서 나온 고사로, 아무리 기다려도 일이 해결될 가망이 없음을 비유한 말.

百萬長者
(백만장자)

재산이 매우 많은 사람. 큰 부자.

百發百中
(백발백중)

백 번 쏘아 백 번 맞춘다는 뜻으로, 계획이나 예상 따위가 잘 들어맞음.

白衣民族
(백의민족)

(예부터 흰옷을 즐겨 입은 데서 생긴 말로) '한국 민족'을 이르는 말.

白衣天使
(백의천사)

간호사를 아름답게 이르는 말.

百戰百勝
(백전백승)

백 번 싸워 백 번 이긴다는 뜻으로, 싸울 때마다 번번이 이김.

富貴在天
(부귀재천)

부귀는 하늘이 부여하는 것이라 사람의 힘으로는 어찌할 수 없음을 이르는 말.

不問可知
(불문가지)

묻지 않아도 알 수 있음.

不問曲直
(불문곡직)

일의 옳고 그름을 묻지 아니하고 곧바로 행동이나 말로 들어감.

不必再言
(불필재언)

다시 말할 필요가 없음.

氷山一角
(빙산일각)

대부분 숨겨져 있고, 외부로 나타나 있는 것은 극히 일부분에 지나지 아니함을 비유적으로 이르는 말.

事實無根
(사실무근)

사실에 근거가 없다는 뜻으로, 근거가 없거나 사실과 전혀 다름.

山戰水戰
(산전수전)

산에서의 싸움과 바다에서의 싸움이라는 뜻으로, 세상의 온갖 고생과 어려움을 이르는 말.

三位一體
(삼위일체)

세 가지 것이 하나로 통일되는 일. 三者가 뜻을 모아 하나가 되는 일.

生老病死
(생로병사)

인생이 겪는 고통, 곧 낳음, 늙음, 병듦, 죽음.

生面不知
(생면부지)

한번도 만나본 적이 없어 도무지 모르는 사람.

速戰速決
(속전속결)

싸움을 오래 끌지 않고 빨리 끝장을 냄.

十年知己
(십년지기)

오래 전부터 사귀어온 친한 친구.

安分知足
(안분지족)

제 분수를 지키고 만족할 줄을 앎.

良藥苦口
(양약고구)

(좋은 약은 입에 쓰다는 뜻으로) '바르게 충고하는 말은 귀에 거슬리지만 자신을 이롭게 함'을 비유하여 이르는 말.

億萬長者
(억만장자)

재산을 헤아리기 어려울 정도로 많이 가진 부자.

年末年始
(연말연시)

한 해의 끝과 새 해의 시작.

月下氷人
(월하빙인)

결혼을 중매해 주는 사람을 이르는 말.

有名無實
(유명무실)

알고 보니 맹랑하게 이름뿐이고 그 실상은 없음.

以文會友
(이문회우)

글로써 벗을 모음.

以實直告
(이실직고)

사실 그대로를 고함.

人命在天 (인명재천)	사람의 목숨은 하늘에 있다는 뜻으로, 사람이 살고 죽는 것이나 오래 살고 못 살고 하는 것은 다 하늘에 달려 있어 사람으로서는 어찌할 수 없음을 이르는 말.
人事不省 (인사불성)	병이나 중상을 입어 의식을 잃고 인사를 차리지 못함.
因人成事 (인인성사)	남의 힘으로 일어나서 결국 뜻을 이룸.
人海戰術 (인해전술)	많은 사람을 투입하여 무슨 일을 이룩하려는 방책.
一心同體 (일심동체)	마음을 하나로 합쳐서 한마음 한 몸이 됨을 이르는 말.
立春大吉 (입춘대길)	입춘을 맞이하여 크게 길함. (입춘의 날에 문지방이나 대문 등에 써 붙이는 입춘방의 한 가지.)
自古以來 (자고이래)	예로부터 내려오면서. 자고로. 자고이래로.
子孫萬代 (자손만대)	아들과 손자인 후손이 여러 대에 걸침.
自由世界 (자유세계)	자유가 보장된 사회. 자유로운 세계.
自由自在 (자유자재)	자기 뜻대로 모든 것이 자유롭고 거침이 없음.
全知全能 (전지전능)	모든 것을 다 알고 행하지 못하는 일은 없음. 絶對者의 힘.
正正堂堂 (정정당당)	(태도처자수단 따위가) 꿀림이 없이 바르고 떳떳하다.

知者樂水 (지자요수)	사리에 밝은 사람은 사리에 통달하여 정체함이 없는 것이 마치 물이 자유로이 흐르는 것과 같으므로 물을 좋아함.
知行合一 (지행합일)	아는 것과 행하는 것을 하나로 합한다는 뜻으로, 인간의 지는 행의 일부로 그것을 둘로 나눌 수는 없다는 양명학의 주장.
千萬多幸 (천만다행)	매우 다행함.(=萬萬多幸)
天下第一 (천하제일)	이 세상에서 으뜸.
青山流水 (청산유수)	푸른 산과 흐르는 물. 말을 거침없이 잘함을 비유해 이르는 말.
清風明月 (청풍명월)	('맑은 바람과 밝은 달'이라는 뜻으로) '결백하고 온건한 성격'을 평하여 이르는 말. '풍자와 해학으로 세상사를 비판함'을 비유하여 이르는 말.
草綠同色 (초록동색)	풀빛과 녹색은 한 색깔이라는 말. 서로 같은 무리끼리 어울림을 뜻함.
八方美人 (팔방미인)	어느 모로 보나 아름다운 미인. 여러 방면에 능통한 사람.

草綠同色

青山流水
(청산유수)

1회

대한민국한자급수자격검정시험 준4급

심화학습문제

시험시간 : 40분

점수:

※ 다음 한자의 훈음이 바른 것을 고르시오.

1. 習 (　　) ①글자자 ②생각사 ③익힐습 ④글 서
2. 綠 (　　) ①푸를록 ②흐를류 ③그럴연 ④푸를청
3. 典 (　　) ①펼 전 ②제목제 ③두 재 ④법 전
4. 遠 (　　) ①멀 원 ②동산원 ③말씀화 ④이름호
5. 級 (　　) ①등급급 ②기운기 ③급할급 ④뿔 각
6. 歷 (　　) ①지낼력 ②맺을결 ③뿌리근 ④그칠지
7. 李 (　　) ①마을리 ②오얏리 ③효도효 ④다행행
8. 德 (　　) ①익힐습 ②집 당 ③덕 덕 ④뜰 정
9. 病 (　　) ①집 원 ②군사병 ③받들봉 ④병 병
10. 美 (　　) ①양 양 ②아름다울미 ③뜻 의 ④일 업

※ 다음 훈음에 맞는 한자를 고르시오.

11. 창문 창 (　　) ①参 ②集 ③窓 ④命
12. 마을 리 (　　) ①由 ②田 ③理 ④里
13. 뜻 의 (　　) ①知 ②意 ③月 ④立
14. 법식 례 (　　) ①例 ②平 ③禮 ④法
15. 나무 수 (　　) ①植 ②樹 ③林 ④木
16. 생각 사 (　　) ①思 ②四 ③仕 ④社
17. 글 서 (　　) ①西 ②書 ③貴 ④奉
18. 군사 졸 (　　) ①前 ②半 ③川 ④卒
19. 믿을 신 (　　) ①訓 ②信 ③詩 ④新
20. 아이 동 (　　) ①動 ②洞 ③童 ④冬

※ 다음 물음에 알맞은 답을 고르시오.

21. 둥근 달처럼 포근하게 몸을 보호하는 것이 '옷' 이라는 뜻의 한자는? (　　)

①有 ②朝 ③服 ④衣

22. 다음 중 밑줄 친 한자의 독음이 <u>다른</u> 하나는? (　　)

①<u>數</u>理 ②<u>數</u>學 ③算<u>數</u> ④數<u>數</u>

23. 다음 중 한자어의 독음이 맞지 <u>않은</u> 것은? (　　)

①路面(노면) ②良心(양심)
③李花(리화) ④事理(사리)

24. "勞"자를 자전(옥편)에서 찾을 때의 방법으로 바르지 <u>않은</u> 것은? (　　)

①부수로 찾을 때는 "火"부수 8획에서 찾는다.
②자음으로 찾을 때는 "로"음에서 찾는다.
③부수로 찾을 때는 "力"부수 10획에서 찾는다.
④총획으로 찾을 때는 "12획"에서 찾는다.

25. 다음 중 "果"자와 뜻이 비슷한 한자는? (　　)

①科 ②實 ③過 ④根

26. 다음 중 "曲"자와 뜻이 상대되는 한자는? (　　　)

①直　②止　③吉　④式

27. 다음 빈 칸에 공통으로 들어갈 한자는? (　　　)

【 □性, 自□, 實□ 】

①習　②幸　③黑　④海

※ 다음 한자어의 독음이 바른 것을 고르시오.

28. 庭園 (　　　) ①정원 ②정단 ③원정 ④가정

29. 病院 (　　　) ①의원 ②병실 ③병원 ④병가

30. 題目 (　　　) ①주제 ②제일 ③재목 ④제목

31. 反對 (　　　) ①우대 ②반대 ③반기 ④박대

32. 苦樂 (　　　) ①고악 ②고락 ③구악 ④구락

33. 加重 (　　　) ①가동 ②하중 ③하동 ④가중

34. 表現 (　　　) ①의현 ②의견 ③표현 ④표견

35. 事由 (　　　) ①사유 ②이유 ③사곡 ④이전

※ 다음 한자어의 뜻으로 알맞은 것을 고르시오.

36. 孝道 (　　　)

①어버이를 섬김, 또는 그 도리　②사람이 다니는 길

③오래된 길　④스승을 섬기는 도리

37. 話術 (　　　)

①손재주　②그림 그리는 재주

③말재주　④글재주

※ 다음 낱말을 한자로 바르게 쓴 것을 고르시오.

38. 능력 (어떤 일을 해낼 수 있는 힘) (　　　)

①能刀　②才能　③能力　④再能

39. 장고 (오랫동안 깊이 생각함) (　　　)

①長高　②長考　③場考　④場告

※ 다음 밑줄 친 한자어의 독음으로 바른 것을 고르시오.

40. 포옹은 <u>西洋式</u> 인사이다. (　　　)

①서구식　②서양식　③서양무　④주양식

41. <u>勇氣</u>있는 사람이 되어야 한다. (　　　)

①맹기　②포부　③용기　④용맹

42. 어머니는 심한 감기 몸살로 <u>米飮</u>만 드신다. (　　　)

①율무　②미식　③식혜　④미음

※ 다음 밑줄 친 낱말을 한자로 바르게 쓴 것을 고르시오.

43. <u>행복</u>은 성적순이 아니라고 말한다. (　　　)

①幸子　②幸福　③牛福　④天幸

44. 산에는 <u>약초</u>로 쓰이는 식물이 많다. (　　　)

①樂草　②藥草　③藥花　④樂花

※ 다음 물음에 알맞은 답을 고르시오.

45. 다음 중 한자어의 짜임이 수식관계(앞글자가 뒷글자를 꾸며줌)가 아닌 것은? (　　　)

①國土　②青山　③綠水　④海洋

46. "同窓"과 비슷한 뜻의 한자어는? (　　　)

①同氣　②交友　③兄弟　④同門

47. "客體"와 반대되는 뜻의 한자어는? (　　　)

①身體　②主體　③全體　④一體

48. "馬耳東風"의 속뜻으로 알맞은 것은? (　　　)

①가는 봄의 경치를 나타냄

②시원한 봄바람

③남의 비평이나 의견을 귀담아 듣지 않음

④근거가 없거나 사실과 전혀 다름

49. 다음 중 효도를 실천하기 위한 원칙으로 바르지 않은 것은? (　　　)

①몸을 소중히 간수한다.

②마음을 바르게 가진다.

③사회에 꼭 필요한 사람이 된다.

④비싼 선물만을 사드린다.

50. 다음 중 우리 고유의 명절이 아닌 것은?(　　　)

①설　②대보름　③추석　④성탄절

대한민국한자급수자격검정시험 준4급

2회 심화학습문제

시험시간 : 40분

점수:

※ 다음 한자의 훈음이 바른 것을 고르시오.

1. 因 (　　) ①인할인 ②동산원 ③신하신 ④입 구
2. 發 (　　) ①절반반 ②놓을방 ③모 방 ④필 발
3. 禮 (　　) ①법식례 ②예도례 ③통할통 ④몸 체
4. 清 (　　) ①푸를청 ②맑을청 ③갤 청 ④푸를록
5. 章 (　　) ①글 장 ②제목제 ③글 시 ④마당장
6. 吉 (　　) ①과실과 ②길할길 ③지날과 ④맡길임
7. 等 (　　) ①오얏리 ②절 사 ③오를등 ④무리등
8. 順 (　　) ①재주술 ②순할순 ③셈 수 ④믿을신
9. 窓 (　　) ①등급급 ②싸움전 ③바람풍 ④창문창
10. 輕 (　　) ①수레차 ②공경경 ③가벼울경 ④무거울중

※ 다음 훈음에 맞는 한자를 고르시오.

11. 노래 가 (　　) ①歌 ②可 ③要 ④曲
12. 움직일동 (　　) ①雲 ②運 ③動 ④童
13. 지낼 력 (　　) ①綠 ②歷 ③力 ④勇
14. 두 재 (　　) ①二 ②材 ③在 ④再
15. 셈 수 (　　) ①數 ②算 ③首 ④孫
16. 받들 봉 (　　) ①奉 ②服 ③本 ④表
17. 살 매 (　　) ①每 ②賣 ③買 ④事
18. 아이 아 (　　) ①外 ②心 ③兒 ④衣
19. 배울 학 (　　) ①學 ②訓 ③習 ④夏
20. 법도 도 (　　) ①道 ②度 ③席 ④德

※ 다음 물음에 알맞은 답을 고르시오.

21. 높은 언덕의 임금이 사는 궁궐을 뜻하여 '서울'의 뜻을 가진 한자는? (　　)
①高 ②家 ③室 ④京

22. 다음 중 밑줄 친 한자의 독음이 다른 하나는? (　　)
①用便 ②便利 ③形便 ④車便

23. 다음 중 한자어의 독음이 맞지 않은 것은? (　　)
①歷代(역대) ②勞使(노사)
③用例(용예) ④交流(교류)

24. "全"자를 자전(옥편)에서 찾을 때의 방법으로 바르지 않은 것은? (　　)
①부수를 찾을 때는 "入"부수 4획에서 찾는다.
②자음으로 찾을 때는 "전"음에서 찾는다.
③부수로 찾을 때는 "王"부수 2획에서 찾는다.
④총획으로 찾을 때는 "6획"에서 찾는다.

25. 다음 중 "集"자와 뜻이 비슷한 한자는? (　　)
①果 ②決 ③合 ④成

26. 다음 중 "晝"자와 뜻이 상대되는 한자는? (　　)

①夜　②野　③朝　④前

27. 다음 빈 칸에 공통으로 들어갈 한자는? (　　)

【 文□, □數, 漢□ 】

①算　②章　③字　④中

※ 다음 한자어의 독음이 바른 것을 고르시오.

28. 感性 (　　) ①감성 ②감격 ③지성 ④함정

29. 敬愛 (　　) ①경로 ②공경 ③경애 ④공애

30. 反省 (　　) ①반성 ②반생 ③판정 ④판성

31. 使臣 (　　) ①사리 ②이신 ③사신 ④이리

32. 表紙 (　　) ①색지 ②의지 ③포교 ④표지

33. 氷雪 (　　) ①영설 ②빙우 ③빙설 ④영우

34. 良藥 (　　) ①량약 ②양약 ③랑락 ④양락

35. 功勞 (　　) ①공영 ②노력 ③노동 ④공로

※ 다음 한자어의 뜻으로 알맞은 것을 고르시오.

36. 樂勝 (　　)

①결승전　②싸울 때마다 이김
③운동 경기에서 쉽게 이김　④어렵게 이김

37. 問責 (　　)

①일의 책임을 물어 꾸짖음　②제목을 정함
③해답을 필요로 하는 물음　④어려운 문제를 물어봄

※ 다음 낱말을 한자로 바르게 쓴 것을 고르시오.

38. 사유(일의 까닭) (　　)

①使有　②事由　③思由　④史有

39. 만전(조금도 허술한 데가 없음) (　　)

①萬前　②萬典　③萬全　④萬戰

※ 다음 밑줄 친 한자어의 독음으로 바른 것을 고르시오.

40. 凶年이 몇 년째 계속되고 있다. (　　)

①풍년　②흉년　③식년　④가뭄

41. 전국고교야구대회를 위한 合宿 훈련에 들어갔다. (　　)

①합숙　②합수　③동계　④하계

42. 국가유공자에게 정부는 特典을 베풀었다. (　　)

①특혜　②대전　③특전　④포상

※ 다음 밑줄 친 낱말을 한자로 바르게 쓴 것을 고르시오.

43. 사건 전달에 기자는 신속, 정확해야 한다. (　　)

①記者　②記子　③氣者　④己者

44. 도서관에는 전문서적, 사서, 잡지 등이 있다. (　　)

①使書　②使西　③事書　④史書

※ 다음 물음에 알맞은 답을 고르시오.

45. 다음 중 비슷한 뜻으로 짜여진 한자어가 아닌 것은? ( )

①根本 ②始初 ③祖孫 ④庭園

46. "平等"과 비슷한 뜻의 한자어는? ( )

①等級 ②共同 ③同等 ④一等

47. "原因"과 반대되는 뜻의 한자어는? ( )

①結果 ②理由 ③成果 ④事理

48. "青山流水"의 속뜻으로 알맞은 것은? ( )

①말을 거침없이 잘함

②물살이 빠름

③거짓말을 잘함

④여름의 경치를 이름

49. 다음 중 전화예절로 바르지 못한 것은? ( )

①용건을 미리 정리해 짧게 통화한다.

②상대를 확인하고 자기 소개를 한다.

③잘못 걸었을 때에는 말없이 끊는다.

④용건이 끝나면 정중하게 인사하고 끊는다.

50. 다음 중 정월대보름에 먹는 음식이 아닌 것은? ( )

①오곡밥 ②부럼(호두,땅콩) ③귀밝이술 ④송편

대한민국한자급수자격검정시험 준4급

3회 심화학습문제

시험시간 : 40분

점수:

※ 다음 한자의 훈음이 바른 것을 고르시오.

1. 書 (　　　) ①글자자 ②생각사 ③익힐습 ④글　서
2. 可 (　　　) ①더할가 ②옳을가 ③노래가 ④물　하
3. 來 (　　　) ①올　래 ②갈　거 ③나무목 ④수레거
4. 感 (　　　) ①덜　감 ②사랑애 ③느낄감 ④창문창
5. 席 (　　　) ①자리위 ②옷　복 ③저녁석 ④자리석
6. 臣 (　　　) ①세상세 ②귀신신 ③잃을실 ④신하신
7. 思 (　　　) ①생각사 ②생각상 ③은혜은 ④기름유
8. 里 (　　　) ①마을리 ②이치리 ③설　립 ④살　매
9. 示 (　　　) ①저자시 ②처음시 ③보일시 ④때　시
10. 黑 (　　　) ①없을무 ②검을흑 ③소리음 ④고을읍

※ 다음 훈음에 맞는 한자를 고르시오.

11. 모일 회 (　　　) ①業 ②黃 ③社 ④會
12. 곧을 직 (　　　) ①曲 ②直 ③植 ④貴
13. 종이 지 (　　　) ①禮 ②紙 ③福 ④愛
14. 날쌜 용 (　　　) ①勇 ②考 ③育 ④幸
15. 서로 상 (　　　) ①性 ②姓 ③相 ④如
16. 팔　 매 (　　　) ①每 ②買 ③賣 ④算
17. 맺을 결 (　　　) ①結 ②決 ③待 ④吉
18. 더할 가 (　　　) ①歌 ②加 ③角 ④德
19. 인할 인 (　　　) ①因 ②凶 ③血 ④肉
20. 하여금 사 (　　　) ①消 ②事 ③速 ④使

※ 다음 물음에 알맞은 답을 고르시오.

21. 일년의 끝이 다가오면서 얼음이 어는 때라 하여 '겨울'을 뜻하는 한자는? (　　　)

①卒　②冰　③冬　④水

22. 다음 중 밑줄 친 한자의 독음이 다른 하나는? (　　　)

①用便　②便所　③小便　④便利

23. 다음 중 한자어의 독음이 맞지 않은 것은? (　　　)

①科落(과락)　②新聞(신문)
③醫院(의원)　④功勞(공노)

24. "雪"자를 자전(옥편)에서 찾을 때의 방법으로 바르지 않은 것은? (　　　)

①부수로 찾을 때는 "ヨ"부수 8획에서 찾는다.
②자음으로 찾을 때는 "설"음에서 찾는다.
③부수로 찾을 때는 "雨"부수 3획에서 찾는다.
④총획으로 찾을 때는 "11획"에서 찾는다.

25. 다음 중 "格"자와 뜻이 비슷한 한자는? (　　　)

①實　②各　③式　④品

26. 다음 중 "昨"자와 뜻이 상대되는 한자는? (　　　)

①初　②今　③作　④發

27. 다음 빈 칸에 공통으로 들어갈 한자는? (　　　)

【 □氣, □度, 室□ 】

①内　②火　③溫　④雲

※ 다음 한자어의 독음이 바른 것을 고르시오.

28. 畫法 (　　　) ①화원 ②획순 ③화법 ④주법

29. 平定 (　　　) ①평안 ②평정 ③반정 ④평평

30. 間食 (　　　) ①조식 ②간사 ③야식 ④간식

31. 反旗 (　　　) ①반기 ②판기 ③반족 ④판자

32. 靑綠 (　　　) ①청록 ②청녹 ③정록 ④정녹

33. 奉仕 (　　　) ①봉임 ②봉사 ③명사 ④본토

34. 洗手 (　　　) ①세안 ②세면 ③선수 ④세수

35. 要路 (　　　) ①요로 ②노로 ③요노 ④도로

※ 다음 한자어의 뜻으로 알맞은 것을 고르시오.

36. 根本 (　　　)

①가까운 거리　②뿌리없는 나무

③사물이 생겨나는데 바탕이 되는 것　④바탕이 좋지 않음

37. 良民 (　　　)

①백성에게 잘해줌　②나라의 공무를 맡아보는 사람

③선량한 국민　④외국에 이민간 사람

※ 다음 낱말을 한자로 바르게 쓴 것을 고르시오.

38. 재능(재주와 능력) (　　　)

①材能　②才能　③木材　④能力

39. 태고(아주 오랜 옛날) (　　　)

①太告　②大古　③太古　④犬古

※ 다음 밑줄 친 한자어의 독음으로 바른 것을 고르시오.

40. 해마다 家族 구성원의 수가 줄고 있다. (　　　)

①가정　②가계　③가족　④식구

41. 자신의 責任을 남에게 전가해서는 안된다. (　　　)

①중책　②적임　③책임　④실책

42. 사람은 자기 分數에 맞는 생활을 해야한다. (　　　)

①처지　②분수　③분삭　④판단

※ 다음 밑줄 친 낱말을 한자로 바르게 쓴 것을 고르시오.

43. 실물보다 사진이 더 예쁘게 나왔다. (　　　)

①失物　②實物　③室物　④實動

44. 시청 앞에서 반전 평화 시위가 있었다. (　　　)

①反戰　②半戰　③班戰　④休戰

※ **다음 물음에 알맞은 답을 고르시오.**

45. 다음 중 한자어의 짜임이 수식관계(앞글자가 뒷글자를 꾸며줌)가 아닌 것은? (　　　　)

①一言　②千金　③天地　④正道

46. "下午"와 비슷한 뜻의 한자어는? (　　　　)

①上午　②午後　③午前　④正午

47. "立體"와 반대되는 뜻의 한자어는? (　　　　)

①客體　②主體　③平面　④形色

48. 다음 □ 안에 들어갈 알맞은 한자는? (　　　　)

【 不必□言 】

①材　②才　③在　④再

49. 다음 성실한 생활을 실천하는 방법으로 틀린 것은?

(　　　　)

①할 일의 목표와 방법을 미리 계획해 본다.

②일단 정해진 일은 온 정성을 다한다.

③힘들다고 생각되는 일은 무조건 부모님께 미룬다.

④어려움을 극복하면서 꾸준히 한다.

50. 다음 중 우리 祖上들이 남긴 문화유산을 대하는 마음가짐으로 바르지 않은 것은? (　　　　)

①소중하게 잘 다룬다.

②외국 것보다는 못하다.

③담겨진 정신을 배운다.

④오래도록 보존해야 한다.

대한민국한자급수자격검정시험 준4급

4회 심화학습문제

시험시간 : 40분

점수:

※ 다음 한자의 훈음이 바른 것을 고르시오.

1. 短 (　　) ①짧을단 ②대답답 ③법도도 ④노래가
2. 算 (　　) ①이길승 ②자리석 ③셈 산 ④셈 수
3. 者 (　　) ①차례번 ②살필성 ③아들자 ④놈 자
4. 勇 (　　) ①날쌜용 ②쓸 용 ③느낄감 ④은 은
5. 式 (　　) ①예도례 ②법식례 ③법 식 ④법 법
6. 形 (　　) ①맏 형 ②붉을적 ③이름호 ④모양형
7. 住 (　　) ①낮 주 ②주인주 ③물댈주 ④살 주
8. 可 (　　) ①옳을가 ②더할가 ③알릴고 ④각각각
9. 長 (　　) ①마당장 ②긴 장 ③글 장 ④어제작
10. 如 (　　) ①같을여 ②알 지 ③여자녀 ④누이매

※ 다음 훈음에 맞는 한자를 고르시오.

11. 법 전 (　　) ①展 ②要 ③典 ④面
12. 신하 신 (　　) ①貝 ②史 ③首 ④臣
13. 지경 계 (　　) ①界 ②曲 ③直 ④田
14. 느낄 감 (　　) ①感 ②窓 ③夏 ④急
15. 반드시 필 (　　) ①以 ②必 ③太 ④公
16. 처음 시 (　　) ①初 ②和 ③知 ④始
17. 큰바다 양 (　　) ①漁 ②羊 ③洋 ④海
18. 움직일 운 (　　) ①速 ②運 ③近 ④道
19. 능할 능 (　　) ①能 ②農 ③等 ④特
20. 채울 충 (　　) ①光 ②去 ③充 ④赤

※ 다음 물음에 알맞은 답을 고르시오.

21. 가난한 선비는 물건을 사는 것보다 팔아먹는 물건이 더 많다는 데서 '팔다'의 뜻이 된 한자는? (　　)

①仕 ②讀 ③買 ④賣

22. 다음 중 부수와 총획의 연결이 잘못된 것은? (　　)

①集(隹, 총12획) ②卒(人, 총8획)
③任(人, 총6획) ④郡(邑, 총10획)

23. 다음 중 한자어의 독음이 맞지 않은 것은? (　　)

①草綠(초록) ②路上(로상)
③李朝(이조) ④夕陽(석양)

24. "再"자를 자전(옥편)에서 찾을 때의 방법으로 바르지 않은 것은? (　　)

①부수를 찾을 때는 "一"부수 5획에서 찾는다.
②자음으로 찾을 때는 "재"음에서 찾는다.
③부수로 찾을 때는 "冂"부수 4획에서 찾는다.
④총획으로 찾을 때는 "6획"에서 찾는다.

25. 다음 중 "貴"자와 뜻이 비슷한 한자는? (　　)

①重 ②輕 ③品 ④幸

26. 다음 중 "因"자와 뜻이 상대되는 한자는? ( )

①過 ②果 ③凶 ④原

27. 다음 빈 칸에 공통으로 들어갈 한자는? ( )

【 □口, 江□, 銀□水 】

①氷 ②山 ③河 ④川

※ 다음 한자어의 독음이 바른 것을 고르시오.

28. 學業 ( ) ①학업 ②학교 ③수업 ④수교

29. 後孫 ( ) ①손자 ②후예 ③후손 ④후계

30. 國旗 ( ) ①게양 ②국족 ③국가 ④국기

31. 意思 ( ) ①의심 ②의사 ③의중 ④의견

32. 分班 ( ) ①분반 ②배반 ③도반 ④팔반

33. 飮食 ( ) ①식음 ②음식 ③흡식 ④식사

34. 英語 ( ) ①영오 ②영언 ③영문 ④영어

35. 文章 ( ) ①문자 ②인장 ③문장 ④문패

※ 다음 한자어의 뜻으로 알맞은 것을 고르시오.

36. 軍氣 ( )

①군사상의 기밀
②군대의 사기
③군대를 상징하는 깃발
④전쟁에 관한 이야기를 적은 책

37. 美食家 ( )

①음식이 맛있는 집
②서양요리를 만드는 음식점
③음식을 많이 먹는 사람
④맛있는 음식만 가려먹는 취미를 가진 사람

※ 다음 낱말을 한자로 바르게 쓴 것을 고르시오.

38. 풍습(풍속과 습관) ( )

①風樂 ②風速 ③風向 ④風習

39. 지혈(나오는 피를 그치게 함) ( )

①止水 ②血族 ③止血 ④中止

※ 다음 밑줄 친 한자어의 독음으로 바른 것을 고르시오.

40. 진희는 내성적인 性格이다. ( )

①성질 ②특질 ③성격 ④특색

41. 우리 반에도 결식 兒童이 조금 있다. ( )

①아동 ②아이 ③고아 ④목동

42. 방과 후 봉사활동반에 加入했다. ( )

①등록 ②입학 ③참가 ④가입

※ 다음 밑줄 친 낱말을 한자로 바르게 쓴 것을 고르시오.

43. 제일 잘하는 과목이 한문이다. ( )

①第日 ②弟一 ③第一 ④弟日

44. 학교 개교 기념일이어서 수업이 없다. ( )

①開敎 ②開校 ③開交 ④問交

※ 다음 물음에 알맞은 답을 고르시오.

45. 다음 중 한자어의 짜임이 다른 하나는? ( )

①陽春 ②白雪 ③溫氣 ④黑白

46. "先考"와 비슷한 뜻의 한자어는? ( )

①先生 ②母親 ③先親 ④父親

47. "古參"과 반대되는 뜻의 한자어는? ( )

①古今 ②參奉 ③新參 ④參見

48. 다음 □ 안에 들어갈 알맞은 한자는? ( )

【 百□百勝 】

①戰 ②發 ③老 ④日

49. 우리의 전통 문화를 이해하고 발전시키는 방법으로 바르지 못한 것은? ( )

①우리 것에 대한 긍지와 자부심을 갖는다.

②참고 문헌을 통하여 관심과 정보를 얻는다.

③상호 이해를 통한 문화 교류가 필요하다.

④우리의 전통 문화만을 고집한다.

50. 다음 중 대보름의 풍속이 아닌 것은? ( )

①부럼깨기 ②쥐불놀이 ③부채선물 ④더위팔기

대한민국한자급수자격검정시험 준4급

5회 심화학습문제

시험시간 : 40분

점수:

※ 다음 한자의 훈음이 바른 것을 고르시오.

1. 號 (　　　) ①이름호 ②범 호 ③차례번 ④이름명
2. 朴 (　　　) ①나눌반 ②수풀림 ③순박할박 ④오얏리
3. 醫 (　　　) ①들 야 ②멀 원 ③구할요 ④의원의
4. 所 (　　　) ①바 소 ②몸 체 ③세상세 ④빠를속
5. 每 (　　　) ①어머니모 ②매양매 ③조개패 ④날 일
6. 夜 (　　　) ①인할인 ②바깥외 ③낮 주 ④밤 야
7. 元 (　　　) ①자리위 ②아침조 ③으뜸원 ④언덕원
8. 頭 (　　　) ①무리등 ②머리두 ③오를등 ④아이동
9. 活 (　　　) ①날 생 ②말씀언 ③말씀화 ④살 활
10. 河 (　　　) ①옳을가 ②물 하 ③아래하 ④여름하

※ 다음 훈음에 맞는 한자를 고르시오.

11. 향할 향 (　　　) ①向 ②合 ③兄 ④凶
12. 그칠 지 (　　　) ①止 ②地 ③知 ④血
13. 동산 원 (　　　) ①庭 ②園 ③院 ④遠
14. 어질 량 (　　　) ①半 ②良 ③食 ④洋
15. 기다릴대 (　　　) ①休 ②對 ③待 ④代
16. 공 구 (　　　) ①功 ②球 ③公 ④空
17. 격식 격 (　　　) ①客 ②根 ③各 ④格
18. 재목 재 (　　　) ①才 ②再 ③木 ④材
19. 종이 지 (　　　) ①紙 ②地 ③短 ④道
20. 하여금사 (　　　) ①事 ②史 ③使 ④思

※ 다음 물음에 알맞은 답을 고르시오.

21. 두 발로 서서 높은 곳에 제기를 올려놓는다는 데서 '오르다'의 뜻을 가진 한자는? (　　　)
①等 ②先 ③登 ④上

22. 다음 중 밑줄 친 한자의 독음이 다른 하나는? (　　　)
①不問 ②不當 ③不足 ④不知

23. 다음 중 한자어의 독음이 맞지 않은 것은? (　　　)
①通路(통로) ②勞力(오력)
③交流(교류) ④李朝(이조)

24. "黑"자를 자전(옥편)에서 찾을 때의 방법으로 바르지 않은 것은? (　　　)
①부수로 찾을 때는 "火"부수 8획에서 찾는다.
②자음으로 찾을 때는 "흑"음에서 찾는다.
③부수로 찾을 때는 "黑"부수 0획에서 찾는다.
④총획으로 찾을 때는 "12획"에서 찾는다.

25. 다음 중 "兒"자와 뜻이 비슷한 한자는? (　　　)
①兄 ②弟 ③少 ④童

26. 다음 중 "昨"자와 뜻이 상대되는 한자는? (　　　)

①今　②明　③朝　④晝

27. 다음 빈 칸에 공통으로 들어갈 한자는? (　　　)

【 家□, 校□, □短 】

①高　②訓　③族　④長

※ 다음 한자어의 독음이 바른 것을 고르시오.

28. 敎育 (　　　) ①교목 ②교재 ③훈육 ④교육

29. 後門 (　　　) ①후문 ②후회 ③오문 ④오후

30. 今年 (　　　) ①금월 ②명년 ③금년 ④올해

31. 自立 (　　　) ①설립 ②자립 ③자백 ④백립

32. 病室 (　　　) ①병실 ②병원 ③병동 ④의술

33. 綠化 (　　　) ①연화 ②녹하 ③록화 ④녹화

34. 圖面 (　　　) ①도면 ②화면 ③구면 ④화색

35. 萬福 (　　　) ①만보 ②만복 ③만병 ④만사

※ 다음 한자어의 뜻으로 알맞은 것을 고르시오.

36. 使命 (　　　)

①다 죽게된 목숨　②회사의 명령
③맡겨진 임무　④스승의 명령

37. 注文 (　　　)

①어떤 문장이나 글귀에 주를 붙여 쉽게 풀이한 글
②술법을 부릴 때 외는 글귀
③어떤 물건을 만들거나 보내어 달라고 부탁하는 일
④지위가 높은 벼슬아치의 집

※ 다음 낱말을 한자로 바르게 쓴 것을 고르시오.

38. 시가(시와 노래) (　　　)

①時歌　②詩歌　③始家　④童詩

39. 재회(다시 만남) (　　　)

①社會　②再會　③才會　④重生

※ 다음 밑줄 친 한자어의 독음으로 바른 것을 고르시오.

40. 진수를 1학기 동안 우리 반 반장으로 <u>任命</u>했다. (　　　)

①사명　②지령　③임명　④지명

41. 사업이 파산하여 <u>失業者</u>가 됐다. (　　　)

①부랑자　②실업자　③실무자　④자선가

42. 외할아버지는 고기잡이를 하는 <u>漁夫</u>이시다. (　　　)

①어부　②농부　③어장　④계장

※ 다음 밑줄 친 낱말을 한자로 바르게 쓴 것을 고르시오.

43. <u>과속</u> 운전은 생명을 위협하는 행위이다. (　　　)

①過消　②果速　③過速　④科速

44. <u>예문</u>을 들면 더 잘 이해할 것이다. (　　　)

①禮問　②禮文　③例題　④例文

※ **다음 물음에 알맞은 답을 고르시오.**

45. 다음 중 한자어의 짜임이 수식관계(앞글자가 뒷글자를 꾸며줌)가 아닌 것은? ( )

①知新 ②清風 ③白衣 ④男兒

46. "昨年"과 비슷한 뜻의 한자어는? ( )

①今日 ②來年 ③去年 ④明年

47. "多元"과 반대되는 뜻의 한자어는? ( )

①元利 ②一元 ③元老 ④元祖

48. "事實無根"의 속뜻으로 알맞은 것은? ( )

①근거가 없거나 사실과 전혀 다름

②뿌리없는 나무

③새로운 사건이 발생하지 않음

④근거없는 거짓말을 함

49. 우리의 전통문화를 이해하기 위한 방법으로 올바르지 않은 것은? ( )

①관련 서적을 통해 간접 경험을 해 본다.

②현장 학습을 통해서 잘 살펴본다.

③우리 것이 소중한 것임을 잊지 않는다.

④옛날 것보다는 지금 것이 훨씬 좋다고만 생각한다.

50. 한자를 쓰는 순서로 틀린 것은? ( )

①왼쪽에서 오른쪽으로 쓴다.

②세로획을 먼저 쓰고, 가로획은 나중에 쓴다.

③세로나 가로를 꿰뚫는 획은 맨 나중에 쓴다.

④廴, 辶은 맨 나중에 쓴다.

部首 214字와 部首訓音 一覽表

1획

一 한 일
丨 뚫을 곤
丶 별똥,점 주[점]
丿 삐침 별[삐침]
乙 새 을(乚)
[새을방]
亅 갈고리 궐

2획

二 두 이
亠 머리부분 두
[돼지해(亥)머리]
人 사람 인(亻)
[사람인변]
儿 ①어진사람인
②걷는사람인
入 들 입
八 여덟 팔
冂 멀 경
冖 덮을 멱{冪}
[민갓머리]
冫 얼음 빙{氷,冰}
[이수변]
几 안석,책상궤
凵 입벌릴 감
[위튼입구몸]
刀 칼 도(刂)
[칼도방]
力 힘 력
勹 쌀 포{包}
匕 비수 비
匚 상자 방
[옆튼입구몸]
匸 감출 혜
[튼에운담]
十 열 십
卜 점 복
卩 병부 절(㔾)
厂 ①굴바위 엄
②언덕 한
[민엄호]
厶 사사 사
[마늘모]
又 또 우

3획

口 입 구
囗 에울 위
[큰입구몸]
土 흙 토
士 선비 사
夂 뒤져올 치
夊 천천히걸을쇠
夕 저녁 석
大 큰 대
女 여자 녀
子 아들 자
宀 집 면
[갓머리]
寸 마디 촌
小 작을 소
尢 절름발이 왕(尣,兀)
尸 주검 시{屍}
屮 싹날 철
[왼손좌(屮)]
山 메,뫼 산
川 내 천{巛}
[개미허리]
工 장인 공
己 몸 기
巾 수건 건
干 방패 간
幺 작을 요
广 집 엄
[엄호]
廴 길게걸을 인
[민책받침]
廾 들,손맞잡을공
[스물입발]
弋 주살 익
弓 활 궁
彐 돼지머리 계(彑,⺕)
[튼가로왈]
彡 터럭 삼
[삐친석삼]
彳 자축거릴 척
[두인변]

4획

心 마음 심(忄,㣺)
[심방변, 마음심발]
戈 창 과
户 지게문 호
手 손 수(扌)
[손수변, 재방변]
支 지탱할 지
攴 칠 복(攵)
[등글월문]
文 글월 문
斗 말 두
斤 도끼,무게근
方 모 방
无 없을 무(旡)
[이미기(旣)방]
日 날,해 일
曰 가로 왈
月 달 월
木 나무 목
欠 하품 흠
止 그칠 지
歹 앙상한뼈 알(歺)
[죽을사(死)변]
殳 몽둥이 수
[갖은등글월문]
毋 말 무
比 견줄 비
毛 털 모
氏 성씨, 각씨 시
气 기운 기{氣}
水 물 수(氵, 氺)
[삼수변, 물수발]
火 불 화(灬)
[연화발]
爪 손톱 조(爫)
父 아비 부
爻 점괘 효
爿 조각 장
[장수장(將)변]
片 조각 편
牙 어금니 아
牛 소 우(牜)
犬 개 견(犭)
[개사슴록변]

5획

玄 검을 현
玉 구슬 옥(王)
瓜 오이 과
瓦 기와 와
甘 달 감
生 날 생
用 쓸 용
田 밭 전
疋 ①발 소
②필 필
疒 병들 녁
[병질엄]
癶 걸음 발
[필발(發)머리]
白 흰 백
皮 가죽 피
皿 그릇 명

部首 214字와 部首訓音 一覽表

目 눈 목(罒)
矛 창 모
矢 화살 시
石 돌 석
示 보일 시(礻)
禸 짐승발자국 유
禾 벼 화
穴 구멍 혈(穴)
立 설 립

6획

竹 대 죽(⺮)
[대죽머리]
米 쌀 미
糸 실 사{絲}
缶 장군 부
网 그물망(罒, 罓){網}
羊 양 양(⺶)
羽 깃 우
老 늙을 로(耂)
[늙을로엄]
而 말이을 이
耒 쟁기,가래뢰
耳 귀 이
聿 붓,오직 율
肉 고기 육(月)
[육달월]
臣 신하 신
自 스스로 자
至 이를 지
臼 절구 구(臼)
舌 혀 설
舛 어그러질 천
舟 배 주
艮 머무를,그칠간
色 빛 색
艸 풀 초(艹,艹)
[초(草)두,풀초머리]

虍 범 호{虎}
[범호엄]
虫 벌레 충{蟲},훼
血 피 혈
行 다닐 행
衣 옷 의(衤)
襾 덮을 아(西)

7획

見 볼 견
角 뿔 각
言 말씀 언
谷 골 곡
豆 콩,제기 두
豕 돼지 시
豸 ①벌레 치
②해태 태
[갖은돼지시변]
貝 조개 패
赤 붉을 적
走 달릴 주
足 발 족(⻊)
身 몸 신
車 수레 거(차)
辛 매울 신
辰 별 진
날 신
辵 쉬엄쉬엄갈 착(辶)
[책받침]
邑 고을 읍(阝)
[우부방]
酉 닭,술병 유
釆 분별할 변
里 마을 리

8획

金 쇠 금
長 긴,어른 장(镸)

門 문 문
阜 언덕 부(阝)
[좌부변]
隶 미칠 이
隹 새 추
雨 비 우
靑 푸를 청
非 아닐 비

9획

面 얼굴 면
革 가죽 혁
韋 다룸가죽 위
韭 부추 구
音 소리 음
頁 머리 혈
風 바람 풍
飛 날 비
食 밥 식(飠,飠)
首 머리 수
香 향기 향

10획

馬 말 마
骨 뼈 골
高 높을 고
髟 머리털늘어질 표
[터럭발(髮)머리]
鬥 싸울 투{鬪}
鬯 술,활집 창
鬲 ①오지병 격
②솥 력
鬼 귀신 귀

11획

魚 물고기 어
鳥 새 조

鹵 소금밭 로
鹿 사슴 록
麥 보리 맥
麻 삼 마

12획

黃 누를 황
黍 기장 서
黑 검을 흑
黹 바느질할 치

13획

黽 ①맹꽁이 맹<黾>
②힘쓸 민
鼎 솥 정
鼓 북 고
鼠 쥐 서

14획

鼻 코 비
齊 가지런할 제

15획

齒 이 치

16획

龍 용 룡<竜>
龜 ①거북 귀<亀>
②나라이름구
③터질 균

17획

龠 피리 약

※( )부수 변형자
※[ ]부수 명칭
※{ }본자
※< >약자

대한민국한자급수자격검정시험 준4급

1회 실전대비문제

시험시간 : 40분

점수:

※ 한자의 훈음으로 바른 것을 고르시오.

1. 畫 (　　　) ①그림 화　②움직일 운　③줄 선　④낮 주

2. 反 (　　　) ①돌이킬 반　②나눌 반　③순할 순　④믿을 신

3. 飮 (　　　) ①마디 촌　②마실 음　③거느릴 부　④길 로

4. 史 (　　　) ①말씀 어　②셈 산　③역사 사　④셀 계

5. 賣 (　　　) ①아침 조　②살 활　③팔 매　④살 매

6. 吉 (　　　) ①고기 육　②길할 길　③망할 망　④몸 기

7. 流 (　　　) ①얼음 빙　②순박할 박　③흐를 류　④마을 촌

8. 球 (　　　) ①공 구　②성품 성　③성씨 성　④이길 승

9. 待 (　　　) ①마당 장　②기다릴 대　③글 장　④눈 설

10. 德 (　　　) ①편할 편　②가을 추　③설 립　④덕 덕

※ 훈음에 맞는 한자를 고르시오.

11. 나타날 현 (　　　) ①現　②定　③郡　④因

12. 지낼 력 (　　　) ①院　②歷　③農　④直

13. 아이 동 (　　　) ①理　②里　③童　④玉

14. 결단할 결 (　　　) ①然　②決　③京　④清

15. 나무 수 (　　　) ①樹　②林　③植　④木

16. 생각 사 (　　　) ①田　②貝　③思　④急

17. 자리 석 (　　　) ①宿　②石　③夕　④席

18. 신하 신 (　　　) ①向　②凶　③區　④臣

19. 그칠 지 (　　　) ①止　②放　③幸　④竹

20. 알릴 고 (　　　) ①告　②毛　③市　④苦

※ 물음에 알맞은 답을 고르시오.

21. "음식과 술을 잘 차리고 제사를 지내 하늘로부터 복을 받는다"하여 '복'을 뜻하게 된 한자는? (　　　)

①學　②福　③讀　④禮

22. 어휘의 독음이 맞지 않은 것은?

( )

①風樂(풍요) ②不安(불안)

③當落(당락) ④任命(임명)

23. 밑줄 친 '失'의 뜻이 다른 것은?

( )

①失意 ②過失 ③失神 ④失明

24. 한자와 부수의 연결이 바르지 않은 것은?

( )

①邑-口 ②以-人 ③孝-子 ④用-用

25. 유의자의 연결이 바르지 않은 것은?

( )

①河=江 ②海=羊 ③例=式 ④集=合

26. '祖'의 반의자는?

( )

①孫 ②堂 ③重 ④强

27. "□曲, □手, 校□"에서 □안에 공통으로 들어갈 한자는? ( )

①樂 ②加 ③歌 ④九

※ 어휘의 독음이 바른 것을 고르시오.

28. 野心 ( ) ①여심 ②아심 ③이모 ④야심

29. 別記 ( ) ①별사 ②부기 ③기록 ④별기

30. 韓藥 ( ) ①한요 ②한약 ③한악 ④한낙

31. 親庭 ( ) ①친정 ②정원 ③가친 ④친족

32. 訓話 ( ) ①훈화 ②훈설 ③화설 ④순화

33. 功勞 ( ) ①공영 ②노력 ③공로 ④노동

34. 表紙 ( ) ①포교 ②의지 ③표지 ④색지

35. 第三者 ( ) ①제삼작 ②제삼자 ③재삼자 ④재삼작

※ 어휘의 뜻으로 알맞은 것을 고르시오.

36. 社旗 ( )

①병사들의 씩씩한 기개. ②일의 기틀.

③회사를 상징하는 깃발. ④회사의 기초.

37. 問責 ( )

①해답을 필요로 하는 물음. ②제목을 정함.

③일의 책임을 물어 꾸짖음. ④어려운 문제를 물어봄.

※ 낱말을 한자로 바르게 쓴 것을 고르시오.

38. 원아: 유치원에 다니는 아이. ( )

①元兒 ②原兒 ③園兒 ④遠兒

39. 동창: 같은 학교나 같은 스승 밑에서 공부한 관계.

( )

①東門 ②東窓 ③同文 ④同窓

※ 밑줄 친 어휘의 알맞은 독음을 고르시오.

40. 勇氣 있는 사람이 되어야 한다.

( )

①용맹 ②맹기 ③용기 ④포부

41. 해마다 家族 구성원의 수가 줄고 있다.

( )

①가족 ②가계 ③식구 ④가정

42. 전쟁이 아닌 平和적인 방법을 모색해야 한다.

( )

①평화 ②평이 ③편리 ④온화

※ 밑줄 친 부분을 한자로 바르게 쓴 것을 고르시오.

43. 과속 운전은 생명을 위협하는 행위이다.

( )

①過速 ②科速 ③過綠 ④科綠

44. 인간은 만물의 영장. ( )

①萬物 ②物品 ③古物 ④億萬

※ 물음에 알맞은 답을 고르시오.

45. 어휘의 짜임이 '수식관계'가 아닌 것은?

( )

①良書 ②一口 ③千金 ④天地

46. 유의어가 잘못 연결된 것은? ( )

①夏服=內服 ②年初=年始

③等位=等級 ④落陽=夕陽

47. '下午'의 반의어는? ( )

①午前 ②午後 ③正午 ④上午

48. '事實無根'의 속뜻으로 알맞은 것은?

( )

①근거없는 거짓말을 함. ②뿌리 없는 나무.

③새로운 사건이 발생하지 않음.

④근거가 없거나 사실과 전혀 다름.

49. 自習 시간의 학습 태도로 바르지 않은 것은?

( )

①급한 용무가 있으면 쿵쾅거리며 뛰어나간다.

②다른 친구에게 방해가 되지 않도록 주의한다.

③조용히 앉아 부족한 과목을 工夫한다.

④옆 사람과 잡담하며 떠들지 않는다.

50. 정월 대보름에 먹는 음식이 아닌 것은?

( )

①송편 ②귀밝이술 ③부럼 ④오곡밥

대한민국한자급수자격검정시험 준4급

2회 실전대비문제

시험시간 : 40분

점수:

※ 한자의 훈음으로 바른 것을 고르시오.

1. 體 ( ) ①머리 두 ②가벼울 경 ③이길 승 ④몸 체

2. 在 ( ) ①있을 재 ②왼 좌 ③오른 우 ④온전할 전

3. 服 ( ) ①순할 순 ②옷 의 ③받들 봉 ④옷 복

4. 窓 ( ) ①덕 덕 ②급할 급 ③창문 창 ④마땅할 당

5. 野 ( ) ①마당 장 ②글자 자 ③들 야 ④마을 리

6. 球 ( ) ①과목 과 ②구슬 옥 ③나타날 현 ④공 구

7. 苦 ( ) ①대답 답 ②알릴 고 ③괴로울 고 ④높을 고

8. 凶 ( ) ①나눌 구 ②흉할 흉 ③향할 향 ④고기 육

9. 老 ( ) ①죽을 사 ②고을 읍 ③밤 야 ④늙을 로

10. 兵 ( ) ①군사 졸 ②병 병 ③대신할 대 ④군사 병

※ 훈음에 맞는 한자를 고르시오.

11. 의원 의 ( ) ①藥 ②醫 ③園 ④韓

12. 구름 운 ( ) ①夏 ②電 ③雲 ④弱

13. 옳을 가 ( ) ①可 ②刀 ③同 ④寸

14. 벼슬할 사 ( ) ①士 ②使 ③仕 ④思

15. 씻을 세 ( ) ①洗 ②消 ③洞 ④決

16. 귀할 귀 ( ) ①直 ②貴 ③育 ④買

17. 더할 가 ( ) ①如 ②和 ③功 ④加

18. 기다릴 대 ( ) ①待 ②級 ③線 ④姓

19. 손자 손 ( ) ①術 ②班 ③步 ④孫

20. 순박할 박 ( ) ①竹 ②朴 ③外 ④村

※ 물음에 알맞은 답을 고르시오.

21. "작은 것까지 자세히 본다"는 뜻에서 '살피다'를 뜻하는 한자는? ( )

①首 ②少 ③貝 ④省

22. 어휘의 독음이 맞지 않은 것은?

( )

①李花(리화) ②良能(양능)
③事理(사리) ④路面(노면)

23. "선수들은 强度 높은 훈련에 지쳐있었다"에서 밑줄 친 '度'의 훈음으로 바른 것은?

( )

①풍채 도 ②정도 도 ③셈할 탁 ④헤아릴 탁

24. '雪'을(를) 자전에서 찾을 때의 방법으로 바르지 않은 것은? ( )

①총획으로 찾을 때는 '11획'에서 찾는다.
②자음으로 찾을 때는 '설'음에서 찾는다.
③부수로 찾을 때는 '크'부수 8획에서 찾는다.
④부수로 찾을 때는 '雨'부수 3획에서 찾는다.

25. '根'의 유의자는? ( )

①校 ②本 ③植 ④木

26. 반의자의 연결이 바르지 않은 것은?

( )

①訓↔敎 ②登↔落 ③古↔今 ④遠↔近

27. "□地, □室, 過□"에서 □안에 공통으로 들어갈 알맞은 한자는? ( )

①書 ②學 ③客 ④土

※ 어휘의 독음이 바른 것을 고르시오.

28. 反對 ( ) ①반기 ②우대 ③박대 ④반대

29. 冰河 ( ) ①빙하 ②영하 ③영가 ④빙가

30. 定石 ( ) ①화석 ②주석 ③정석 ④운석

31. 自充 ( ) ①목충 ②목통 ③자족 ④자충

32. 朝臣 ( ) ①조신 ②월신 ③고구 ④조도

33. 敬愛 ( ) ①공경 ②경애 ③공애 ④경로

34. 宿食 ( ) ①주식 ②숙식 ③의식 ④수식

35. 郡內 ( ) ①군대 ②군내 ③읍내 ④도읍

※ 어휘의 뜻으로 알맞은 것을 고르시오.

36. 車道 ( )

①자동차, 기차, 전차 따위의 차량을 넣어 두는 곳.
②차를 타는 데에 드는 비용.
③자동차 도로에 그어 놓은 선.
④차가 다니도록 마련한 길.

37. 童心 ( )

①어린아이의 마음. ②어린이를 위한 시.
③마음을 움직임. ④마음을 같이함.

※ 낱말을 한자로 바르게 쓴 것을 고르시오.

38. 참석: 모임이나 회의 따위의 자리에 참여함. (　　)

①參見　②立席　③參席　④空席

39. 재회: 다시 만남. (　　)

①社會　②再會　③才會　④材會

※ 밑줄 친 어휘의 알맞은 독음을 고르시오.

40. 돈이 많다고 결코 幸福한 것은 아니다. (　　)

①부유　②행복　③행운　④재복

41. 선생님께서는 다시 한 번 注意사항을 일러주셨다. (　　)

①확인　②주시　③확신　④주의

42. 感氣 증세가 있어 일찍 귀가했다. (　　)

①온기　②감기　③한기　④냉기

※ 밑줄 친 부분을 한자로 바르게 쓴 것을 고르시오.

43. 내가 제일 잘하는 과목이 한문이다. (　　)

①第日　②第一　③弟一　④弟日

44. 예문을 들면 더 잘 이해할 것이다. (　　)

①例文　②禮文　③禮問　④例問

※ 물음에 알맞은 답을 고르시오.

45. 어휘의 짜임이 다른 것은? (　　)

①名曲　②小兒　③賣國　④昨年

46. '先考'의 유의어는? (　　)

①父母　②母親　③先親　④祖父

47. '結果'의 반의어는? (　　)

①原因　②成果　③結末　④多元

48. "남의 말을 귀담아듣지 아니하고 지나쳐 흘려 버림"을 뜻하는 '馬□東風'에서 □안에 들어갈 알맞은 한자는? (　　)

①下　②前　③言　④耳

49. 孝을(를) 실천하기 위한 원칙으로 바르지 않은 것은? (　　)

①몸을 소중히 여긴다.

②사회에 꼭 필요한 사람이 된다.

③바른 마음을 갖는다.

④비싼 선물만을 사 드린다.

50. 한자를 쓰는 순서가 잘못된 것은? (　　)

①세로획을 먼저 쓰고, 가로획은 나중에 쓴다.

②글자 전체를 꿰뚫는 획은 맨 나중에 쓴다.

③왼쪽에서 오른쪽으로 쓴다.

④위에서 아래로 쓴다.

3회

대한민국한자급수자격검정시험 준4급

실전대비문제

시험시간 : 40분

점수:

※ 한자의 훈음으로 바른 것을 고르시오.

1. 仕 (　　　) ①자리 위　②벼슬할 사　③장인 공　④수건 건
2. 朴 (　　　) ①학교 교　②셀 계　③법식 례　④순박할 박
3. 習 (　　　) ①구름 운　②익힐 습　③언덕 원　④고기 육
4. 溫 (　　　) ①따뜻할 온　②구할 요　③써 이　④한수 한
5. 州 (　　　) ①살 주　②고을 주　③주인 주　④대 죽
6. 省 (　　　) ①눈 설　②성씨 성　③적을 소　④살필 성
7. 運 (　　　) ①움직일 운　②집 원　③멀 원　④귀신 신
8. 實 (　　　) ①꽃부리 영　②나타날 현　③열매 실　④아침 조
9. 章 (　　　) ①살 활　②모양 형　③다행 행　④글 장
10. 勇 (　　　) ①기를 육　②날쌜 용　③이름 호　④효도 효

※ 훈음에 맞는 한자를 고르시오.

11. 두 재 (　　　) ①市　②軍　③番　④再
12. 능할 능 (　　　) ①每　②能　③臣　④良
13. 인할 인 (　　　) ①今　②夫　③因　④郡
14. 덕 덕 (　　　) ①德　②雲　③英　④京
15. 법 법 (　　　) ①法　②東　③思　④急
16. 등급 급 (　　　) ①南　②級　③記　④金
17. 그칠 지 (　　　) ①亡　②止　③立　④足
18. 고기잡을 어 (　　　) ①史　②理　③魚　④漁
19. 길할 길 (　　　) ①短　②明　③身　④吉
20. 지경 계 (　　　) ①李　②内　③界　④刀

※ 물음에 알맞은 답을 고르시오.

21. "나무의 위쪽에 한 일의 부호를 그려서, 그 나무의 위쪽" 곧 '나무 끝'을 나타내는 한자는? (　　　)

①末　②本　③果　④木

22. 한자와 부수의 연결이 바르지 <u>않은</u> 것은? (　　　)

①相-目　②美-羊　③以-人　④要-女

23. "人力<u>車</u>"에서 밑줄 친 '車'의 훈음으로 바른 것은? (　　　)

①수레 거　②수레 차　③수레 가　④차 차

24. '秋'을(를) 자전에서 찾을 때의 방법으로 바르지 <u>않은</u> 것은? (　　　)

①부수를 찾을 때는 '禾'부수 4획에서 찾는다.

②자음으로 찾을 때는 '추'음에서 찾는다.

③부수로 찾을 때는 '火'부수 5획에서 찾는다.

④총획으로 찾을 때는 '9획'에서 찾는다.

25. 유의자의 연결이 바르지 <u>않은</u> 것은? (　　　)

①第=一　②衣=服　③算=數　④貴=重

26. '勞'의 반의자는? (　　　)

①會　②分　③祖　④使

27. "參□, □速, □入"에서 □안에 공통으로 들어갈 알맞은 한자는? (　　　)

①加　②可　③永　④右

※ 어휘의 독음이 바른 것을 고르시오.

28. 反感 (　　　) ①반감 ②반심 ③우감 ④우심

29. 出血 (　　　) ①산혈 ②적혈 ③출혈 ④출구

30. 充當 (　　　) ①충당 ②통장 ③충원 ④형부

31. 國旗 (　　　) ①국가 ②국족 ③국기 ④게양

32. 敬禮 (　　　) ①공구 ②공경 ③경애 ④경례

33. 對答 (　　　) ①대화 ②대답 ③정답 ④문답

34. 病室 (　　　) ①병실 ②병동 ③병원 ④의술

35. 根性 (　　　) ①근본 ②근성 ③목생 ④목근

※ 어휘의 뜻으로 알맞은 것을 고르시오.

36. 活路 (　　　)

①오래된 길.　②사람이 다니는 길.

③살아 나갈 길.　④산책로.

37. 名醫 (　　　)

①이름난 병원.　②이름난 의원이나 의사.

③특효약.　④역사가 오래된 병원.

※ 낱말을 한자로 바르게 쓴 것을 고르시오.

38. 정원: 잘 가꾸어 놓은 넓은 뜰. ( )

①庭院 ②庭原 ③定園 ④庭園

39. 애독: 즐겨 읽음. ( )

①樂讀 ②讀音 ③愛文 ④愛讀

※ 밑줄 친 어휘의 알맞은 독음을 고르시오.

40. 포옹은 西洋式 인사이다. ( )

①서양무 ②주양식 ③서양식 ④서구식

41. 운전면허 시험에 어렵게 合格하였다. ( )

①불참 ②낙제 ③참가 ④합격

42. 회사가 파산하여 失業者가 됐다. ( )

①실무자 ②부랑자 ③실업자 ④자선가

※ 밑줄 친 부분을 한자로 바르게 쓴 것을 고르시오.

43. 철조망에 고압 전류가 흐르고 있었다. ( )

①電氣 ②電流 ③油田 ④氣流

44. 물건을 사용하기 전에 주의 사항을 잘 읽어야 한다. ( )

①主意 ②注意 ③住衣 ④注衣

※ 물음에 알맞은 답을 고르시오.

45. '成功'와(과) 같이 술목구조로 이루어진 것은? ( )

①良心 ②白雪 ③洗手 ④青天

46. '昨年'의 유의어는? ( )

①今日 ②來年 ③去年 ④明年

47. 반의어의 연결이 바르지 않은 것은? ( )

①登山↔下山 ②年末↔年初

③動物↔植物 ④同窓↔同門

48. "아주 다행함"을 이르는 '千□多幸'에서 □안에 들어갈 알맞은 한자는? ( )

①百 ②億 ③萬 ④十

49. '孝'에 관한 설명으로 바르지 않은 것은? ( )

①부모님과 대화의 시간을 자주 갖는다.

②부모님께는 화려하고 값비싼 선물만 드린다.

③부모님을 정신적으로 편안하고 기쁘게 해 드린다.

④부모님의 뜻을 잘 받든다.

50. 우리 고유의 민속 명절이 아닌 것은? ( )

①단오절 ②설날 ③제헌절 ④중추절

대한민국한자급수자격검정시험 준4급

4회 실전대비문제

시험시간 : 40분

점수:

※ 한자의 훈음으로 바른 것을 고르시오.

1. 億 (　　　) ①믿을 신 ②특별할 특 ③억 억 ④살 활
2. 氷 (　　　) ①얼음 빙 ②올 래 ③물 수 ④길 영
3. 待 (　　　) ①싸움 전 ②기다릴 대 ③이로울 리 ④번개 전
4. 參 (　　　) ①마당 장 ②참여할 참 ③자리 위 ④있을 유
5. 第 (　　　) ①정할 정 ②아우 제 ③차례 제 ④순할 순
6. 果 (　　　) ①열매 실 ②나무 목 ③빛 광 ④과실 과
7. 歷 (　　　) ①지낼 력 ②셀 계 ③읽을 독 ④집 당
8. 號 (　　　) ①맏 형 ②그림 화 ③화할 화 ④이름 호
9. 然 (　　　) ①바다 해 ②언덕 원 ③불 화 ④그럴 연
10. 角 (　　　) ①날쌜 용 ②각각 각 ③뿔 각 ④서울 경

※ 훈음에 맞는 한자를 고르시오.

11. 창문 창 (　　　) ①集 ②刀 ③窓 ④命
12. 법 전 (　　　) ①典 ②朝 ③祖 ④左
13. 뿌리 근 (　　　) ①村 ②才 ③交 ④根
14. 하여금 사 (　　　) ①宿 ②旗 ③社 ④使
15. 군사 병 (　　　) ①兵 ②別 ③每 ④放
16. 눈 설 (　　　) ①度 ②足 ③住 ④雪
17. 푸를 록 (　　　) ①林 ②心 ③綠 ④外
18. 망할 망 (　　　) ①寸 ②亡 ③元 ④七
19. 살필 성 (　　　) ①消 ②所 ③數 ④省
20. 공 구 (　　　) ①夏 ②貝 ③血 ④球

※ 물음에 알맞은 답을 고르시오.

21. "옳고 진실한 마음을 갖는 행위"라는 데서 '덕'의 뜻을 가진 한자는? (　　　)

①先 ②直 ③意 ④德

22. 어휘의 독음이 바르지 않은 것은? ( )

①科落(과락) ②新聞(신문)
③醫院(의원) ④功勞(공노)

23. "卒業은 또 다른 시작이다"에서 밑줄 친 '卒'의 훈음으로 알맞은 것은? ( )

①마칠 졸 ②하인 졸 ③죽을 졸 ④군사 졸

24. '李'을(를) 자전에서 찾을 때의 방법으로 바르지 않은 것은? ( )

①총획으로 찾을 때는 '7획'에서 찾는다.
②부수로 찾을 때는 '木'부수 3획에서 찾는다.
③자음으로 찾을 때는 '리'음에서 찾는다.
④부수로 찾을 때는 '子'부수 4획에서 찾는다.

25. '吉'의 반의자는? ( )

①晝 ②凶 ③近 ④道

26. '洞'의 유의자는? ( )

①冬 ②席 ③衣 ④里

27. "文□, 古□, 漢□"에서 □안에 공통으로 들어갈 알맞은 한자는? ( )

①字 ②犬 ③末 ④毛

※ 어휘의 독음이 바른 것을 고르시오.

28. 現在 ( ) ①구존 ②현존 ③현재 ④구재

29. 英語 ( ) ①영오 ②영문 ③영언 ④영어

30. 苦樂 ( ) ①구락 ②구악 ③고악 ④고락

31. 明答 ( ) ①명답 ②명가 ③명문 ④명화

32. 郡邑 ( ) ①군읍 ②도읍 ③군색 ④도색

33. 理由 ( ) ①이유 ②리유 ③이자 ④니유

34. 急流 ( ) ①급유 ②보류 ③급류 ④감유

35. 必死 ( ) ①심화 ②심사 ③필사 ④필화

※ 어휘의 뜻으로 알맞은 것을 고르시오.

36. 責任 ( )

①일정한 지위나 임무를 남에게 맡김.
②목적을 가지고 주장함.
③맡아서 해야 할 임무나 의무.
④잘못을 캐묻고 꾸짖음.

37. 發賣 ( )

①집안의 가장 연장자. ②집에서 부리는 하인.
③상품을 내어 팔기 시작함. ④못 팔게 함.

※ 낱말을 한자로 바르게 쓴 것을 고르시오.

38. 경애: 공경하고 사랑함. ( )

①敬老 ②公敬 ③愛公 ④敬愛

39. 장고: 오랫동안 깊이 생각함. ( )

①場告 ②長考 ③長高 ④場考

※ 밑줄 친 어휘의 알맞은 독음을 고르시오.

40. 그의 행동이 例事롭지 않다. ( )

①예사 ②사례 ③예절 ④례사

41. 아기의 출산과 育兒을(를) 돕다. ( )

①교양 ②육아 ③교육 ④육성

42. 形式에 얽매이지 말고 자유롭게 표현하시오. ( )

①형식 ②구식 ③모양 ④형태

※ 밑줄 친 부분을 한자로 바르게 쓴 것을 고르시오.

43. 이 동시를 낭랑한 목소리로 읽어보세요. ( )

①童時 ②動時 ③動詩 ④童詩

44. 나는 커서 신문이나 잡지 등에 실을 기사를 취재하여 쓰는 기자가 되고 싶다. ( )

①己者 ②記子 ③記者 ④病者

※ 물음에 알맞은 답을 고르시오.

45. 어휘의 짜임이 '수식관계(앞글자가 뒷글자를 꾸며줌)'가 아닌 것은? ( )

①國土 ②勝因 ③千金 ④樹木

46. '平等'의 유의어는? ( )

①高等 ②共同 ③同等 ④一等

47. 반의어의 연결이 바르지 않은 것은? ( )

①前半↔後半 ②以北↔以南
③落陽↔夕陽 ④幸福↔不幸

48. "門前成市"의 속뜻으로 알맞은 것은? ( )

①문 앞에 시장이 있다. ②집 앞이 번화가이다.
③문 앞이 방문객으로 저자를 이루다시피 함.
④묻는 말에 당치도 않는 엉뚱한 대답을 함.

49. '禮'에 관한 설명 중 '아홉가지 생각(九思)'으로 바르지 못한 것은? ( )

①의심나는 것이 있어도 그냥 지나치고 다른 것을 생각한다.
②말을 할 때에는 참되고 정직하기를 생각한다.
③용모는 반드시 공손하기를 생각한다.
④일은 공경하여 최선을 다할 것을 생각한다.

50. 한자의 필순에 대한 설명으로 바른 것은? ( )

①한자는 아래에서 위로 쓴다.
②廴, 辶은 가장 나중에 쓴다.
③좌우대칭의 경우에는 가운데를 맨 나중에 쓴다.
④오른쪽에서 왼쪽으로 쓴다.

5회

대한민국한자급수자격검정시험 준4급

실전대비문제

시험시간 : 40분

점수:

※ 한자의 훈음으로 바른 것을 고르시오.

1. 史 ( ) ①클 태 ②벗 우 ③걸음 보 ④역사 사
2. 賣 ( ) ①다행 행 ②살 매 ③팔 매 ④머리 수
3. 雲 ( ) ①여름 하 ②누를 황 ③일만 만 ④구름 운
4. 知 ( ) ①물건 품 ②괴로울 고 ③살 활 ④알 지
5. 飮 ( ) ①마실 음 ②가르칠 교 ③오를 등 ④은 은
6. 展 ( ) ①펼 전 ②차례 제 ③들을 문 ④병 병
7. 陽 ( ) ①다스릴 리 ②집 원 ③볕 양 ④마당 장
8. 任 ( ) ①지을 작 ②될 화 ③맡길 임 ④대 죽
9. 遠 ( ) ①멀 원 ②빠를 속 ③가까울 근 ④움직일 운
10. 淸 ( ) ①고기잡을 어 ②맑을 청 ③한수 한 ④법 법

※ 훈음에 맞는 한자를 고르시오.

11. 움직일 동 ( ) ①韓 ②郡 ③動 ④敬
12. 과실 과 ( ) ①事 ②果 ③米 ④科
13. 더할 가 ( ) ①加 ②記 ③外 ④話
14. 이길 승 ( ) ①詩 ②頭 ③旗 ④勝
15. 복 복 ( ) ①等 ②計 ③强 ④福
16. 손님 객 ( ) ①答 ②開 ③客 ④用
17. 사라질 소 ( ) ①海 ②消 ③祖 ④失
18. 붉을 적 ( ) ①字 ②赤 ③交 ④亡
19. 나타날 현 ( ) ①現 ②貝 ③讀 ④身
20. 옳을 가 ( ) ①可 ②夕 ③寸 ④元

※ 물음에 알맞은 답을 고르시오.

21. "사람과 말씀이 합쳐진 자로 사람이 하는 말에는 믿음성이 있어야 한다"는 뜻으로 만들어진 한자는? ( )

①住 ②信 ③言 ④語

22. 어휘의 독음이 바르지 <u>않은</u> 것은? ( )

①所在(소재) ②直後(직후)

③的中(적중) ④同窓(동공)

23. 밑줄 친 '樂'의 독음이 <u>다른</u> 것은? ( )

①<u>樂</u>山 ②農<u>樂</u> ③音<u>樂</u> ④風<u>樂</u>

24. '醫'을(를) 자전에서 찾을 때의 방법으로 바르지 <u>않은</u> 것은? ( )

①자음으로 찾을 때는 '의'음에서 찾는다.

②부수로 찾을 때는 '酉'부수 11획에서 찾는다.

③총획으로 찾을 때는 '18획'에서 찾는다.

④부수로 찾을 때는 '殳'부수 14획에서 찾는다.

25. 유의자의 연결이 바르지 <u>않은</u> 것은? ( )

①結=合 ②各=格 ③貴=重 ④江=河

26. '昨'의 반의자는? ( )

①今 ②日 ③明 ④朝

27. "家□, 校□, □短"에서 □안에 공통으로 들어갈 알맞은 한자는? ( )

①習 ②黑 ③長 ④大

※ 어휘의 독음이 바른 것을 고르시오.

28. 反省 ( ) ①판성 ②판정 ③반성 ④반생

29. 通例 ( ) ①통예 ②통례 ③도예 ④도례

30. 初章 ( ) ①시장 ②초장 ③시구 ④초구

31. 奉仕 ( ) ①봉사 ②명사 ③봉임 ④부사

32. 告別 ( ) ①특별 ②차별 ③유별 ④고별

33. 四角 ( ) ①서각 ②서기 ③사방 ④사각

34. 文集 ( ) ①교집 ②문집 ③문단 ④교휴

35. 植樹 ( ) ①직수 ②식재 ③직재 ④식수

※ 어휘의 뜻으로 알맞은 것을 고르시오.

36. 卒業 ( )

①지위가 낮은 병사.

②학교에서 교과 과정을 마침.

③군사의 일. ④군대의 모든 작업.

37. 良民 ( )

①나라의 공무를 맡아보는 사람.

②외국에 이민간 사람.

③선량한 국민. ④백성에게 잘해줌.

※ 낱말을 한자로 바르게 쓴 것을 고르시오.

38. 전사: 전쟁터에서 적과 싸우다 죽음. ( )

①電士 ②電死 ③戰死 ④戰士

39. 재능: 재주와 능력. ( )

①木材 ②才能 ③材能 ④能力

※ 밑줄 친 어휘의 알맞은 독음을 고르시오.

40. 우리 집 庭園에 온갖 예쁜 꽃들이 만발했다. ( )

①마당 ②가정 ③정원 ④화단

41. 대립하던 둘 사이에 또 다시 流血 충돌이 벌어졌다. ( )

①무력 ②집단 ③유혈 ④의견

42. 전쟁이 아닌 平和적인 방법을 모색해야 한다. ( )

①대화 ②민주 ③온화 ④평화

※ 밑줄 친 부분을 한자로 바르게 쓴 것을 고르시오.

43. 우리는 선생님과 함께 역사적 유래가 있는 고궁이나 사찰을 견학하기로 하였다. ( )

①由來 ②有來 ③油來 ④田來

44. 새로운 버스 노선이 생겼다. ( )

①路線 ②老洗 ③路洗 ④老線

※ 물음에 알맞은 답을 고르시오.

45. 어휘의 짜임이 '수식관계(앞글자가 뒷글자를 꾸며줌)'가 아닌 것은? ( )

①年始 ②感度 ③春雪 ④問責

46. '便安'의 반의어는? ( )

①安全 ②便利 ③不便 ④不利

47. 유의어의 연결이 바르지 않은 것은? ( )

①先考=先親 ②空席=空位

③國號=國名 ④古參=新參

48. "不問曲直"의 속뜻으로 알맞는 것은? ( )

①묻지 않아도 알 수 있음.

②다시 말할 필요가 없음.

③옳고 그름을 따지지 아니함.

④한번도 만나본 적이 없어 도무지 모르는 사람.

49. 우리 조상들이 남긴 문화유산을 대하는 태도로 바르지 않은 것은? ( )

①자긍심을 갖는다. ②조상의 얼을 느껴본다.

③소중히 아끼고 보존한다. ④대충대충 관리한다.

50. 한자를 익히는 방법으로 바르지 않은 것은? ( )

①한자의 부수와 총획을 익힌다.

②쉽고 쓰기 쉬운 한자만 익힌다.

③한자의 여러 가지 훈음을 익혀본다.

④한자의 훈음을 제대로 알고 쓴다.

6회

대한민국한자급수자격검정시험 준4급

실전대비문제

시험시간 : 40분

점수:

※ 한자의 훈음으로 바른 것을 고르시오.

1. 可 ( ) ①나눌 구 ②옳을 가 ③노래 가 ④향할 향
2. 根 ( ) ①뿌리 근 ②순박할 박 ③나무 목 ④은 은
3. 苦 ( ) ①집 당 ②예 고 ③머리 수 ④괴로울 고
4. 漁 ( ) ①덕 덕 ②물고기 어 ③고기잡을 어 ④소 우
5. 院 ( ) ①집 원 ②마당 장 ③모일 사 ④언덕 원
6. 注 ( ) ①살 주 ②마을 리 ③물댈 주 ④임금 왕
7. 考 ( ) ①효도 효 ②상고할 고 ③벗 우 ④늙을 로
8. 知 ( ) ①설 립 ②화할 화 ③심을 식 ④알 지
9. 式 ( ) ①법 식 ②처음 초 ③이룰 성 ④법 법
10. 能 ( ) ①농사 농 ②능할 능 ③많을 다 ④재주 재

※ 훈음에 맞는 한자를 고르시오.

11. 억 억 ( ) ①親 ②億 ③百 ④意
12. 공변될 공 ( ) ①部 ②空 ③命 ④公
13. 공경할 경 ( ) ①敬 ②育 ③京 ④共
14. 그럴 연 ( ) ①黑 ②通 ③然 ④天
15. 꾸짖을 책 ( ) ①貝 ②責 ③青 ④放
16. 익힐 습 ( ) ①聞 ②安 ③習 ④每
17. 말미암을 유 ( ) ①由 ②先 ③足 ④行
18. 아이 동 ( ) ①弟 ②同 ③兒 ④童
19. 종이 지 ( ) ①紙 ②書 ③線 ④功
20. 신하 신 ( ) ①短 ②班 ③臣 ④千

※ 물음에 알맞은 답을 고르시오.

21. "몸을 다스려 보호한다"는 데서 '옷'의 뜻을 가진 한자는? ( )

①服 ②朝 ③定 ④有

22. 어휘의 독음이 바르지 않은 것은? ( )

①祖孫(조손) ②消火(소화)

③下待(하대) ④當番(당심)

23. "메달도 중요하지만 參加에 의의가 있다"에서 밑줄 친 '參'의 훈음으로 알맞은 것은? ( )

①빽빽할 삼 ②별 삼

③참여할 참 ④헤아릴 참

24. '等'을(를) 자전에서 찾을 때의 방법으로 바르지 않은 것은? ( )

①총획으로 찾을 때는 '12획'에서 찾는다.

②부수로 찾을 때는 '竹'부수 6획에서 찾는다.

③자음으로 찾을 때는 '등'음에서 찾는다.

④부수로 찾을 때는 '寸'부수 9획에서 찾는다.

25. '主'의 반의자는? ( )

①今 ②客 ③位 ④夫

26. '敎'의 유의자는? ( )

①訓 ②問 ③長 ④交

27. "現□, □學, 内□"에서 □안에 공통으로 들어갈 알맞은 한자는? ( )

①高 ②村 ③在 ④人

※ 어휘의 독음이 바른 것을 고르시오.

28. 要所 ( ) ①매소 ②요구 ③중요 ④요소

29. 感性 ( ) ①함정 ②감격 ③감성 ④지성

30. 結合 ( ) ①결합 ②연합 ③결론 ④결탁

31. 表土 ( ) ①양토 ②표토 ③표교 ④낙토

32. 速讀 ( ) ①가속 ②속력 ③속도 ④속독

33. 田園 ( ) ①정원 ②전단 ③전원 ④전야

34. 答信 ( ) ①합신 ②확신 ③답신 ④답언

35. 例示 ( ) ①예시 ②예문 ③예년 ④열시

※ 어휘의 뜻으로 알맞은 것을 고르시오.

36. 重任 ( )

①임무를 저버림. ②오랫동안 해온 일.

③중요한 편지. ④중대한 임무.

37. 開始 ( )

①처음과 끝. ②장사가 잘 됨.

③행동이나 일 따위를 처음 시작함.

④일을 열심히 함.

※ **낱말을 한자로 바르게 쓴 것을 고르시오.**

38. 실신: 정신을 잃음. (　　　)

①新室　②失神　③神室　④失新

39. 지혈: 나오는 피를 그치게 함. (　　　)

①止血　②血肉　③止水　④休止

※ **밑줄 친 어휘의 알맞은 독음을 고르시오.**

40. 모든 作業이 제시간에 끝났다.

(　　　)

①사업　②작전　③전업　④작업

41. 집중 폭우로 河川(이)가 범람하였다.

(　　　)

①하천　②하수　③강천　④유천

42. 어려서 美國에 입양된 아이들이 많다.

(　　　)

①중국　②영국　③미제　④미국

※ **밑줄 친 부분을 한자로 바르게 쓴 것을 고르시오.**

43. 친구는 병졸 역할을 맡았다.

(　　　)

①病者　②軍士　③兵卒　④兵士

44. 산에는 약초로 쓰이는 식물이 많다.

(　　　)

①藥花　②樂草　③樂花　④藥草

※ **물음에 알맞은 답을 고르시오.**

45. 어휘의 짜임이 '병렬관계'가 아닌 것은?

(　　　)

①海洋　②身體　③中央　④遠族

46. '正午'의 반의어는?

(　　　)

①子正　②午後　③同時　④子午

47. '道上'의 유의어는?

(　　　)

①面上　②路上　③水路　④頭面

48. "제각기 살아 나갈 방법을 꾀함"을 이르는 성어는 '各自□生'이다. □안에 들어갈 알맞은 한자는?

(　　　)

①圖　②形　③全　④力

49. 선생님에 대한 인사 예절로 바르지 않은 것은?

(　　　)

①선생님 뒤에서 인사를 해서는 안 된다.
②복도나 문에서 선생님과 마주치면 먼저 가시도록 양보를 한다.
③교무실에 들어가거나 나올 때 반드시 인사한다.
④모자를 썼을 때는 모자를 쓴 채로 인사한다.

50. 우리나라의 명절 가운데 하나인 '단오'가 속하는 달은? (　　　)

①음력九月　②음력五月

③음력四月　④음력七月

7 회

대한민국한자급수자격검정시험 준4급

실전대비문제

시험시간 : 40분

점수:

※ 한자의 훈음으로 바른 것을 고르시오.

1. 禮 (　　) ①놓을 방　②아침 조　③줄 선　④예도 례

2. 典 (　　) ①함께 공　②이로울 리　③법 전　④노래 가

3. 題 (　　) ①제목 제　②적을 소　③살 활　④대답할 대

4. 堂 (　　) ①마을 촌　②마땅할 당　③마당 장　④집 당

5. 順 (　　) ①평평할 평　②소리 음　③순할 순　④법 법

6. 算 (　　) ①누를 황　②나라이름 한　③공경할 경　④셈 산

7. 級 (　　) ①은 은　②등급 급　③급할 급　④종이 지

8. 窓 (　　) ①창문 창　②나눌 구　③생각 사　④이제 금

9. 勇 (　　) ①사내 남　②날쌜 용　③기를 육　④수고로울 로

10. 福 (　　) ①새로울 신　②팔 매　③차례 번　④복 복

※ 훈음에 맞는 한자를 고르시오.

11. 어질 량 (　　) ①洋　②食　③半　④良

12. 순박할 박 (　　) ①英　②朴　③肉　④信

13. 지낼 력 (　　) ①千　②邑　③萬　④歷

14. 자리 석 (　　) ①位　②席　③便　④意

15. 귀할 귀 (　　) ①光　②央　③貴　④後

16. 고을 주 (　　) ①竹　②語　③州　④川

17. 오얏 리 (　　) ①李　②字　③赤　④本

18. 맑을 청 (　　) ①遠　②百　③黑　④淸

19. 가벼울 경 (　　) ①里　②輕　③向　④農

20. 괴로울 고 (　　) ①古　②苦　③考　④樂

※ 물음에 알맞은 답을 고르시오.

21. 좌우의 발 모양을 본뜬 것으로, '걷다, 걸음'을 뜻하는 한자는? (　　)

①路　②步　③止　④去

22. 어휘의 독음이 바르지 않은 것은? (　　　)

①因果(인과)　②第一(제일)

③病名(병명)　④責任(적임)

23. "하루의 反省은 꼭 필요하다"에서 밑줄 친 '省'의 훈음으로 바른 것은? (　　　)

①덜 생　②살필 생　③허물 생　④살필 성

24. '號'을(를) 자전에서 찾을 때의 방법으로 바르지 않은 것은? (　　　)

①부수로 찾을 때는 '虍'부수 7획에서 찾는다.

②총획으로 찾을 때는 '13획'에서 찾는다.

③부수를 찾을 때는 '口'부수 10획에서 찾는다.

④자음으로 찾을 때는 '호'음에서 찾는다.

25. '章'의 유의자는? (　　　)

①文　②問　③各　④交

26. '孫'의 반의자는? (　　　)

①子　②祖　③弟　④父

27. "直□, 頭□, 四□形"에서 □안에 공통으로 들어갈 알맞은 한자는? (　　　)

①角　②先　③感　④正

※ 어휘의 독음이 바른 것을 고르시오.

28. 實例 (　　　) ①관례　②실지　③실례　④실사

29. 神氣 (　　　) ①신동　②선동　③선기　④신기

30. 由來 (　　　) ①우내　②유래　③전래　④우래

31. 風雲 (　　　) ①풍악　②풍화　③풍운　④풍설

32. 野球 (　　　) ①야합　②야식　③야구　④족구

33. 數理 (　　　) ①도리　②수리　③수학　④누리

34. 溫和 (　　　) ①온화　②유화　③온실　④난화

35. 親族 (　　　) ①민족　②친척　③친족　④가족

※ 어휘의 뜻으로 알맞은 것을 고르시오.

36. 原告 (　　　)

①연설문 따위의 초안.

②법원에 소송을 제기하여 재판을 청구한 사람.

③소송을 당한 쪽의 당사자.

④형사 피고인의 변호를 맡은 변호사.

37. 訓讀 (　　　)

①소리 내어 읽음.　②한자의 음을 읽음.

③한자의 뜻을 새기어 읽음.　④문장의 뜻풀이.

※ **낱말을 한자로 바르게 쓴 것을 고르시오.**

38. 유속: 물이 흐르는 속도. ( )

①流水 ②海流 ③海速 ④流速

39. 우애: 형제간이나 친구 사이의 도타운 정과 사랑. ( )

①友人 ②愛人 ③友愛 ④社友

※ **밑줄 친 어휘의 알맞은 독음을 고르시오.**

40. 庭園에 나무를 몇 그루 심었다. ( )

①정단 ②정원 ③연단 ④계단

41. 그는 대회 參加을(를) 앞두고 열심히 훈련 중이다. ( )

①참가 ②참여 ③출전 ④출가

42. 現在의 주어진 일에 최선을 다하라. ( )

①미래 ②현존 ③현재 ④지금

※ **밑줄 친 부분을 한자로 바르게 쓴 것을 고르시오.**

43. 계속되는 가뭄에 단비가 충족히 내렸다. ( )

①萬足 ②充足 ③充分 ④不足

44. 강가에서 동물 화석이 발견됐다. ( )

①化右 ②花右 ③火石 ④化石

※ **물음에 알맞은 답을 고르시오.**

45. 어휘의 짜임이 "무엇이 어떠하다"로 이루어진 것은? ( )

①吉凶 ②登山 ③山青 ④女兒

46. '體面'의 유의어는? ( )

①面目 ②身體 ③全體 ④心身

47. '夏服'의 반의어는? ( )

①衣服 ②服用 ③冬服 ④軍服

48. "草綠同色"의 속뜻으로 알맞은 것은? ( )

①자연과 내가 하나가 됨. ②친구와의 우정을 뜻함.
③서로 같은 무리끼리 어울림.
④자연의 아름다움을 노래함.

49. 電話하는 예절로 바르지 못한 것은? ( )

①상대가 확인되면 자신의 이름을 말한다.
②용건이 끝나면 人事없이 뚝 끊는다.
③용건을 미리 정리해 짧게 通話한다.
④잘못 걸린 電話라도 친절하게 받는다.

50. 추석이나 한식날 조상의 묘를 찾아 돌보는 일을 무엇이라 하는가? ( )

①성묘 ②차례 ③덕담 ④제사

대한민국한자급수자격검정시험 준4급

8회 실전대비문제

시험시간 : 40분

점수:

※ 한자의 훈음으로 바른 것을 고르시오.

1. 李 ( ) ①많을 다 ②오얏 리 ③아름다울 미 ④덕 덕
2. 洋 ( ) ①눈 설 ②그림 도 ③큰바다 양 ④마을 촌
3. 止 ( ) ①저자 시 ②그칠 지 ③낮 오 ④나무 수
4. 表 ( ) ①겉 표 ②은 은 ③함께 공 ④겨울 동
5. 奉 ( ) ①털 모 ②대답할 대 ③살필 성 ④받들 봉
6. 消 ( ) ①얼음 빙 ②사라질 소 ③벼슬할 사 ④기름 유
7. 告 ( ) ①각각 각 ②끝 말 ③알릴 고 ④맡길 임
8. 兵 ( ) ①군사 졸 ②군사 병 ③물건 물 ④지아비 부
9. 決 ( ) ①물댈 주 ②결단할 결 ③짧을 단 ④고을 동
10. 加 ( ) ①옳을 가 ②익힐 습 ③아침 조 ④더할 가

※ 훈음에 맞는 한자를 고르시오.

11. 서로 상 ( ) ①姓 ②相 ③植 ④號
12. 능할 능 ( ) ①能 ②良 ③術 ④每
13. 반드시 필 ( ) ①心 ②黃 ③便 ④必
14. 같을 여 ( ) ①的 ②信 ③永 ④如
15. 팔 매 ( ) ①空 ②賣 ③買 ④旗
16. 고을 군 ( ) ①郡 ②邑 ③敬 ④待
17. 창문 창 ( ) ①因 ②窓 ③急 ④區
18. 집 당 ( ) ①家 ②全 ③堂 ④前
19. 뿌리 근 ( ) ①花 ②根 ③林 ④英
20. 망할 망 ( ) ①飮 ②級 ③無 ④亡

※ 물음에 알맞은 답을 고르시오.

21. 해가 뜨고 지는 선을 붓으로 그어 놓고, 밤과 구별하여 '낮'의 뜻을 나타내는 한자는? ( )

①寸 ②晝 ③高 ④室

22. 어휘의 독음이 바르지 않은 것은? ( )

①夕陽(석양) ②場所(장소)
③用例(용렬) ④當落(당락)

23. "어머니는 오열 끝에 失神하고 말았다"에서 밑줄 친 '失'의 훈음으로 알맞은 것은? ( )

①잘못 실 ②잃을 실 ③놓을 일 ④남길 실

24. '貴'을(를) 자전에서 찾을 때의 방법으로 바르지 않은 것은? ( )

①부수로 찾을 때는 '貝'부수 5획에서 찾는다.
②자음으로 찾을 때는 '귀'음에서 찾는다.
③총획으로 찾을 때는 '11'획에서 찾는다.
④총획으로 찾을 때는 '12'획에서 찾는다.

25. '兒'의 유의자는? ( )

①童 ②兄 ③少 ④男

26. '重'의 반의자는? ( )

①央 ②輕 ③登 ④番

27. "□題, 生□, 運□"에서 □안에 공통으로 들어갈 알맞은 한자는? ( )

①動 ②長 ③宿 ④命

※ 어휘의 독음이 바른 것을 고르시오.

28. 詩集 ( ) ①서집 ②시집 ③서재 ④시재

29. 意思 ( ) ①의견 ②의중 ③의사 ④의심

30. 自然 ( ) ①백연 ②목연 ③자연 ④자신

31. 結果 ( ) ①과실 ②길동 ③결실 ④결과

32. 親庭 ( ) ①친정 ②신정 ③친가 ④시정

33. 品位 ( ) ①품립 ②품위 ③구위 ④구립

34. 勇士 ( ) ①무사 ②용기 ③용사 ④용토

※ 어휘의 뜻으로 알맞은 것을 고르시오.

35. 勝算 ( )
①이긴 편. ②이길 수 있는 가능성.
③이긴 원인. ④겨루거나 싸워서 이김.

36. 由來 ( )
①흘러 움직임. ②떠내려가서 없어짐.
③사물이나 일이 생겨난 바. ④기름이 나는 곳.

37. 名醫 ( )
①병을 잘 고쳐 이름난 의원.
②역사가 오래된 병원. ③특효약.
④명분과 의리.

※ 낱말을 한자로 바르게 쓴 것을 고르시오.

38. 복리: 행복과 이익. (　　)

①幸福　②福利　③福理　④服利

39. 길흉: 운이 좋고 나쁨. (　　)

①吉凶　②大吉　③曲直　④正直

※ 밑줄 친 어휘의 알맞은 독음을 고르시오.

40. 足球 시합에서 우리 반이 이겼다.

(　　)

①야구　②축구　③배구　④족구

41. 운전면허 시험에 어렵게 合格하였다.

(　　)

①낙제　②불참　③합격　④참가

42. 오후가 되자 날씨가 더워지기 始作했다.

(　　)

①시인　②시왕　③시작　④시기

※ 밑줄 친 부분을 한자로 바르게 쓴 것을 고르시오.

43. 이번 달에는 가족 행사가 많아서 적자가 났다.

(　　)

①赤子　②黑子　③赤字　④黑字

44. 폐렴으로 입원한 친구의 문병을 갔다.

(　　)

①聞病　②問安　③門病　④問病

※ 물음에 알맞은 답을 고르시오.

45. 어휘의 짜임이 수식관계가 아닌 것은?

(　　)

①清風　②溫氣　③知新　④白衣

46. 유의어의 연결이 바르지 않은 것은?

(　　)

①平等=同等　②洗手=洗面

③農地=農土　④本院=分院

47. '放學'의 반의어는? (　　)

①開學　②休校　③開放　④休學

48. "山戰水戰"의 속뜻으로 알맞은 것은?

(　　)

①싸울 때마다 이김.　②전쟁이 끊이지 않음.

③힘에 겨운 싸움을 함.

④세상의 온갖 고생과 어려움을 겪음.

49. 우리의 전통문화를 이해하기 위한 방법으로 바르지 않은 것은? (　　)

①옛날 것보다는 지금 것이 훨씬 좋다고만 생각한다.

②우리 문화가 소중한 것임을 잊지 않는다.

③현장 학습을 통해서 잘 살펴본다.

④관련 서적을 통해 간접 경험을 해 본다.

50. 우리 고유의 민속 명절이 아닌 것은?

(　　)

①중추절　②설날　③단오절　④제헌절

9회

대한민국한자급수자격검정시험 준4급

실전대비문제

시험시간 : 40분

점수:

※ 한자의 훈음으로 바른 것을 고르시오.

1. 的 (　　) ①빛 색 ②과녁 적 ③마을 리 ④고을 주
2. 再 (　　) ①가을 추 ②풀 초 ③매양 매 ④두 재
3. 德 (　　) ①밤 야 ②덕 덕 ③은 은 ④공변될 공
4. 黑 (　　) ①으뜸 원 ②검을 흑 ③알 지 ④셈 산
5. 仕 (　　) ①재주 술 ②가까울 근 ③벼슬할 사 ④지을 작
6. 客 (　　) ①통할 통 ②편안할 안 ③밭 전 ④손님 객
7. 緣 (　　) ①기 기 ②그럴 연 ③글자 자 ④푸를 록
8. 材 (　　) ①쉴 휴 ②나무 목 ③재목 재 ④있을 재
9. 省 (　　) ①쌀 미 ②오얏 리 ③살필 성 ④이룰 성
10. 思 (　　) ①낮 오 ②번개 전 ③생각 사 ④조개 패

※ 훈음에 맞는 한자를 고르시오.

11. 하여금 사 (　　) ①使 ②空 ③消 ④角
12. 집 원 (　　) ①工 ②部 ③室 ④院
13. 정할 정 (　　) ①半 ②村 ③住 ④定
14. 들 야 (　　) ①首 ②用 ③野 ④夏
15. 복 복 (　　) ①福 ②朴 ③記 ④青
16. 잃을 실 (　　) ①失 ②夫 ③雲 ④牛
17. 받들 봉 (　　) ①理 ②奉 ③央 ④區
18. 어제 작 (　　) ①朝 ②左 ③少 ④昨
19. 채울 충 (　　) ①充 ②重 ③京 ④毛
20. 얼음 빙 (　　) ①冰 ②者 ③道 ④永

※ 물음에 알맞은 답을 고르시오.

21. 나무 위에 가로획을 그어 '나무 끝'의 뜻을 나타내는 한자는? (　　)
①木 ②校 ③末 ④科

22. 어휘의 독음이 바르지 않은 것은? (　　)

①題目(제목)　②所有(소유)
③軍士(군사)　④功勞(공노)

23. "人力車"에서 밑줄 친 '車'의 훈음으로 바른 것은? (　　)

①수레 거　②수래 차　③수레 가　④차례 차

24. '雪'을(를) 자전에서 찾을 때의 방법으로 바르지 않은 것은? (　　)

①총획으로 찾을 때는 '11획' 에서 찾는다.
②자음으로 찾을 때는 '설' 음에서 찾는다.
③부수로 찾을 때는 'ㅋ' 부수 8획에서 찾는다.
④부수로 찾을 때는 '雨' 부수 3획에서 찾는다.

25. '賣'의 반의자는? (　　)

①頭　②强　③立　④買

26. '海'의 유의자는? (　　)

①物　②數　③洋　④魚

27. "□古, □初, □平"에서 □안에 공통으로 들어갈 알맞은 한자는? (　　)

①郡　②太　③萬　④始

※ 어휘의 독음이 바른 것을 고르시오.

28. 訓育 (　　) ①훈육 ②양육 ③양시 ④훈시

29. 運河 (　　) ①군가 ②군하 ③운가 ④운하

30. 同根 (　　) ①동량 ②동곤 ③동근 ④동기

31. 洗手 (　　) ①유세 ②세수 ③지면 ④선면

32. 無禮 (　　) ①무례 ②무료 ③무상 ④무사

33. 苦待 (　　) ①기대 ②고대 ③고시 ④기시

34. 風速 (　　) ①풍기 ②풍지 ③풍향 ④풍속

※ 어휘의 뜻으로 알맞은 것을 고르시오.

35. 白紙 (　　)
①빛깔이 흰 술.　②깨끗하고 맑은 물.
③흰 종이.　④털의 빛깔이 흰 사슴.

36. 凶年 (　　)
①농작물이 잘 되는 해.
②농작물이 잘되지 아니하여 굶주리게 된 해.
③운이 좋은 나이.　④행복하지 아니한 일.

37. 童詩 (　　)
①시인의 음악.　②어린이를 만나는 때.
③동쪽으로 간 시인.　④어린이가 지은 시.

※ 낱말을 한자로 바르게 쓴 것을 고르시오.

38. 승리: 겨루어서 이김. (　　　)

①全勝　②勝戰　③勝利　④百勝

39. 명의: 병을 잘 고치는 이름난 의사. (　　　)

①名衣　②各衣　③名醫　④各醫

※ 밑줄 친 어휘의 알맞은 독음을 고르시오.

40. 전교생이 학교 뒷산으로 植樹을(를) 나갔다. (　　　)

①수식　②지금　③식수　④직수

41. 사업에 실패한 要因을(를) 찾아 분석하여라. (　　　)

①이유　②요소　③원인　④요인

42. 우리나라는 原油을(를) 수입한다. (　　　)

①원화　②원유　③한지　④한우

※ 밑줄 친 부분을 한자로 바르게 쓴 것을 고르시오.

43. 시청 앞에서 손녀를 만나기로 했다. (　　　)

①長女　②長孫　③男女　④孫女

44. 아침마다 신문을 읽는다. (　　　)

①神門　②新聞　③臣聞　④新門

※ 물음에 알맞은 답을 고르시오.

45. 어휘의 짜임이 다른 것은? (　　　)

①今日　②前後　③問答　④本末

46. '不法'의 반의어는? (　　　)

①班法　②有法　③合法　④便法

47. '品位'의 유의어는? (　　　)

①品格　②正品　③正格　④一品

48. "떨어지는 꽃과 흐르는 물"을 뜻하는 성어는 '□花流水'이다. □안에 들어갈 알맞은 한자는? (　　　)

①落　②英　③樂　④社

49. 우리의 전통 문화를 이해하고 발전시키는 방법으로 바르지 못한 것은? (　　　)

①우리 것에 대한 긍지와 자부심을 갖는다.

②상호 이해를 통한 문화 교류가 필요하다.

③우리의 전통 문화만을 고집한다.

④참고 문헌을 통하여 관심과 정보를 얻는다.

50. 호칭과 그 지칭하는 대상의 연결이 바르지 못한 것은? (　　　)

①子女-아들과 딸.　②祖父-할아버지.

③高祖-아버지의 할아버지.

④三寸-아버지의 형제.

10회

대한민국한자급수자격검정시험 준4급

실전대비문제

시험시간 : 40분

점수:

※ 한자의 훈음으로 바른 것을 고르시오.

1. 雲 ( ) ①흉할 흉 ②구름 운 ③뒤 후 ④그럴 연
2. 因 ( ) ①나라 국 ②입 구 ③신하 신 ④인할 인
3. 公 ( ) ①공변될 공 ②놈 자 ③저자 시 ④한가지 동
4. 紙 ( ) ①가운데 앙 ②써 이 ③종이 지 ④나눌 구
5. 飮 ( ) ①옷 복 ②양 양 ③마실 음 ④먹을 식
6. 野 ( ) ①들 야 ②바깥 외 ③오를 등 ④약할 약
7. 州 ( ) ①고을 주 ②물댈 주 ③살 주 ④낮 주
8. 朴 ( ) ①함께 공 ②순박할 박 ③돌이킬 반 ④말씀 화
9. 果 ( ) ①과실 과 ②이길 승 ③어제 작 ④지날 과
10. 郡 ( ) ①귀할 귀 ②군사 군 ③향할 향 ④고을 군

※ 훈음에 맞는 한자를 고르시오.

11. 역사 사 ( ) ①社 ②使 ③思 ④史
12. 그칠 지 ( ) ①邑 ②止 ③地 ④血
13. 의원 의 ( ) ①衣 ②醫 ③立 ④自
14. 길할 길 ( ) ①通 ②今 ③吉 ④藥
15. 구할 요 ( ) ①億 ②漁 ③要 ④信
16. 예도 례 ( ) ①例 ②消 ③禮 ④亡
17. 씻을 세 ( ) ①流 ②色 ③洗 ④奉
18. 날쌜 용 ( ) ①校 ②永 ③綠 ④勇
19. 나무 수 ( ) ①兵 ②時 ③樹 ④植
20. 맺을 결 ( ) ①全 ②結 ③肉 ④會

※ 물음에 알맞은 답을 고르시오.

21. "일 년의 끝이 다가오면서 얼음이 어는 때"라 하여 '겨울'을 뜻하는 한자는? ( )
①冬 ②水 ③氷 ④卒

22. 어휘의 독음이 바르지 않은 것은? ( )

①相對(상대) ②便法(변법)

③農旗(농기) ④場所(장소)

23. "한자는 畫順에 따라 바르게 써야한다"에서 밑줄 친 '畫'의 훈음으로 바른 것은? ( )

①그을 서 ②그을 획 ③그림 도 ④그림 화

24. '再'을(를) 자전에서 찾을 때의 방법으로 바르지 않은 것은? ( )

①부수를 찾을 때는 '一' 부수 5획에서 찾는다.

②자음으로 찾을 때는 '재' 음에서 찾는다.

③부수로 찾을 때는 '冂' 부수 4획에서 찾는다.

④총획으로 찾을 때는 '6획' 에서 찾는다.

25. '算'의 유의자는? ( )

①加 ②界 ③首 ④數

26. '苦'의 반의자는? ( )

①同 ②樂 ③夫 ④神

27. "□口, 江□, 銀□水"에서 □안에 공통으로 들어갈 알맞은 한자는? ( )

①天 ②夏 ③川 ④河

※ 어휘의 독음이 바른 것을 고르시오.

28. 事典 ( ) ①사전 ②사곡 ③행곡 ④법전

29. 參席 ( ) ①참석 ②참여 ③참도 ④삼도

30. 的中 ( ) ①청중 ②작중 ③적중 ④백중

31. 良心 ( ) ①초심 ②양심 ③량심 ④고심

32. 可能 ( ) ①하등 ②능가 ③가비 ④가능

33. 勞動 ( ) ①로농 ②노동 ③노농 ④로동

34. 番號 ( ) ①반호 ②번범 ③번호 ④향호

※ 어휘의 뜻으로 알맞은 것을 고르시오.

35. 責任 ( )

①일정한 지위나 임무를 남에게 맡김.

②맡아서 해야 할 임무나 의무.

③잘못을 캐묻고 꾸짖음. ④목적을 가지고 주장함.

36. 開始 ( )

①새로 나라를 세움. ②문을 열고 닫음.

③맨 처음이 되는 조상. ④행동이나 일을 시작함.

37. 生必品 ( )

①일상생활에 반드시 있어야 할 물품.

②생명을 보호함.

③생활하는 데 드는 비용. ④생산되는 물건.

※ 낱말을 한자로 바르게 쓴 것을 고르시오.

38. 발전: 전기를 일으킴. ( )

①發前 ②發田 ③發全 ④發電

39. 활로: 고난을 헤치고 살아나갈 길. ( )

①注路 ②草路 ③活路 ④活力

※ 밑줄 친 어휘의 알맞은 독음을 고르시오.

40. 사람을 대할 때에는 얼굴빛을 温和하게 한다. ( )

①온유 ②인자 ③온화 ④유화

41. 포옹은 西洋式 인사이다. ( )

①서양식 ②서양무 ③서구식 ④주양식

42. 지구의 적도 이북을 北半球(이)라 한다. ( )

①북평구 ②북반구 ③남반구 ④분계선

※ 밑줄 친 부분을 한자로 바르게 쓴 것을 고르시오.

43. 영희는 학습 태도가 좋다. ( )

①速讀 ②學習 ③習讀 ④朝讀

44. 이번 사안을 신속하게 결정해야 한다. ( )

①決第 ②敬定 ③決正 ④決定

※ 물음에 알맞은 답을 고르시오.

45. 어휘의 짜임이 다른 것은? ( )

①老病 ②黑人 ③敎訓 ④青山

46. '分院'의 반의어는? ( )

①親家 ②分家 ③外家 ④本院

47. '部落'의 유의어는? ( )

①洞落 ②里村 ③村落 ④部村

48. "자기 뜻대로 모든 것이 자유롭고 거침이 없음"을 뜻하는 성어는 '自由自□'(이)다. □안에 들어갈 알맞은 한자는? ( )

①告 ②才 ③在 ④村

49. 일상생활에서 孝를 실천하는 방법으로 바르지 않은 것은? ( )

①형제간에 사이좋게 지낸다.
②부모님께 걱정을 끼치지 않는다.
③부모님이 나무라시면 말대꾸를 한다.
④건강한 몸을 유지한다.

50. 漢字를 익히는 방법으로 바르지 않은 것은? ( )

①漢字의 여러 가지 훈음을 익혀본다.
②漢字를 필순에 맞게 쓰도록 한다.
③漢字의 부수와 총획을 익힌다.
④쉽고 쓰기 쉬운 漢字만 익힌다.

11회

대한민국한자급수자격검정시험 준4급

실전대비문제

시험시간 : 40분

점수:

※ 한자의 훈음으로 바른 것을 고르시오.

1. 福 (　　　) ①결단할 결　②복 복　③뒤 후　④지을 작
2. 凶 (　　　) ①나라 국　②입 구　③종이 지　④흉할 흉
3. 史 (　　　) ①역사 사　②일 업　③저자 시　④마을 리
4. 賣 (　　　) ①살 매　②써 이　③팔 매　④나눌 구
5. 吉 (　　　) ①가운데 앙　②양 양　③길할 길　④먹을 식
6. 服 (　　　) ①옷 복　②바깥 외　③오를 등　④약할 약
7. 院 (　　　) ①집 원　②고을 읍　③살 주　④낮 주
8. 席 (　　　) ①함께 공　②자리 석　③격식 격　④말씀 화
9. 雪 (　　　) ①눈 설　②익힐 습　③읽을 독　④지날 과
10. 注 (　　　) ①강 강　②군사 군　③향할 향　④물댈 주

※ 훈음에 맞는 한자를 고르시오.

11. 동산 원 (　　　) ①園　②遠　③位　④庭
12. 생각 사 (　　　) ①等　②思　③農　④別
13. 순박할 박 (　　　) ①神　②英　③朴　④室
14. 붉을 적 (　　　) ①老　②黑　③赤　④空
15. 손자 손 (　　　) ①番　②孫　③號　④信
16. 법 법 (　　　) ①洗　②去　③式　④法
17. 아이 아 (　　　) ①女　②夜　③兒　④夕
18. 벼슬할 사 (　　　) ①輕　②四　③使　④仕
19. 재목 재 (　　　) ①兵　②加　③材　④植
20. 인할 인 (　　　) ①士　②因　③全　④任

※ 물음에 알맞은 답을 고르시오.

21. "아무도 몰래 상대에게 나아가 아낌없이 마음을 준다"라 하여 '사랑, 즐기다, 아끼다'를 뜻하는 한자는? (　　　)

①愛　②紙　③億　④意

22. 어휘의 독음이 바르지 않은 것은? ( )

①交流(교류) ②勞力(오력)

③通路(통로) ④李朝(이조)

23. "卒業은 또 다른 시작이다"에서 밑줄 친 '卒'의 훈음으로 알맞은 것은? ( )

①마칠 졸 ②하인 졸 ③죽을 졸 ④군사 졸

24. '物'을(를) 자전에서 찾을 때의 방법으로 바르지 않은 것은? ( )

①부수를 찾을 때는 '勿'부수 4획에서 찾는다.

②자음으로 찾을 때는 '물'음에서 찾는다.

③부수로 찾을 때는 '牛'부수 4획에서 찾는다.

④총획으로 찾을 때는 '8획'에서 찾는다.

25. '始'의 유의자는? ( )

①加 ②風 ③表 ④初

26. '苦'의 반의자는? ( )

①孝 ②樂 ③別 ④番

27. "□地, 夕□, 太□"에서 □안에 공통으로 들어갈 알맞은 한자는? ( )

①陽 ②休 ③夏 ④秋

※ 어휘의 독음이 바른 것을 고르시오.

28. 溫氣 ( ) ①온도 ②기온 ③온난 ④온기

29. 野心 ( ) ①야심 ②이심 ③아심 ④여심

30. 醫事 ( ) ①이사 ②병리 ③의사 ④병사

31. 元首 ( ) ①형수 ②원수 ③완수 ④원도

32. 三者 ( ) ①삼작 ②삼자 ③삼지 ④삼저

33. 級友 ( ) ①급우 ②지우 ③사우 ④반우

34. 落第 ( ) ①낙엽 ②악제 ③낙제 ④락엽

※ 어휘의 뜻으로 알맞은 것을 고르시오.

35. 再昨年 ( )

①다시 일을 시작한 해 ②지난해의 바로 전 해

③두 번째로 맞이하는 해 ④한 해의 마지막 날

36. 美食家 ( )

①중화요리 전문점 ②아름답게 잘 꾸민 집

③아무런 음식이나 가리지 않고 먹는 사람

④맛있는 음식만 가려먹는 취미를 가진 사람

37. 黑字 ( )

①수입이 지출보다 많아서 생기는 잉여나 이익

②돈만 있으면 만사를 뜻대로 할 수 있음

③음흉하고 부정한 마음 ④바둑돌의 검은 알

※ **낱말을 한자로 바르게 쓴 것을 고르시오.**

38. 덕성: 어질고 너그러운 성질. ( )

①德姓 ②德性 ③性向 ④習性

39. 제목: 작품이나 강연 등에서, 그것을 대표하거나 내용을 보이기 위하여 붙이는 이름. ( )

①弟木 ②州目 ③題目 ④題木

※ **밑줄 친 어휘의 알맞은 독음을 고르시오.**

40. 시력이 좋지 않아 度數이(가) 높은 안경을 썼다. ( )

①도산 ②정도 ③도수 ④석수

41. 우리 반은 오늘 민속박물관을 見學했다. ( )

①견학 ②시찰 ③관람 ④방문

42. 계속해서 교장선생님의 訓示가 있었다. ( )

①훈화 ②훈시 ③교화 ④지시

※ **밑줄 친 부분을 한자로 바르게 쓴 것을 고르시오.**

43. 그는 마침내 결실의 기쁨을 느꼈다. ( )

①合格 ②結實 ③果實 ④決果

44. 사람의 운명은 알 수 없는 것이다. ( )

①運命 ②動命 ③運名 ④雲命

※ **물음에 알맞은 답을 고르시오.**

45. 어휘의 짜임이 다른 것은? ( )

①良書 ②一口 ③天地 ④千金

46. '前半'의 반의어는? ( )

①後班 ②前班 ③前反 ④後半

47. '同窓'의 유의어는? ( )

①洞落 ②里村 ③同門 ④同里

48. "하는 일이나 태도가 사사로움이나 그릇됨이 없이 아주 정당하고 떳떳함"을 뜻하는 성어는 '□明正大'이다. □안에 들어갈 알맞은 한자는? ( )

①共 ②公 ③工 ④功

49. 電話하는 예절로 바르지 않은 것은? ( )

①먼저 自己가 누구인지를 밝히고 人事를 한다.

②잘못 걸었을 때는 정중하게 사과를 한다.

③거칠고 사나운 목소리로 對答한다.

④웃어른과 通話할 때에는 알맞은 높임말을 쓴다.

50. 出入할 때의 예절로 바르지 않은 것은? ( )

①門을 열고 닫을 때에는 두 손으로 공손히 한다.

②出入할 때에는 문턱을 밟지 않는다.

③노크나 인기척을 내어 상대방에게 出入을 알린다.

④門을 열고 닫을 때에는 소리가 크게 나도록 한다.

12회

대한민국한자급수자격검정시험 준4급

실전대비문제

시험시간 : 40분

점수:

※ 한자의 훈음으로 바른 것을 고르시오.

1. 發 (　　) ①놓을 방　②필 발　③절반 반　④모 방
2. 號 (　　) ①누를 황　②이름 호　③피 혈　④나라 국
3. 朴 (　　) ①나눌 반　②근본 본　③재목 재　④순박할 박
4. 赤 (　　) ①언덕 원　②멀 원　③붉을 적　④가까울 근
5. 臣 (　　) ①더할 가　②높을 고　③알릴 고　④신하 신
6. 者 (　　) ①효도 효　②놈 자　③모일 회　④늙을 로
7. 如 (　　) ①같을 여　②말씀 언　③성씨 성　④예 고
8. 第 (　　) ①아우 제　②살 주　③아침 조　④차례 제
9. 考 (　　) ①기록할 기　②올 래　③상고할 고　④갈 거
10. 兒 (　　) ①가운데 앙　②빛 광　③아이 아　④아이 동

※ 훈음에 맞는 한자를 고르시오.

11. 등급 급 (　　) ①級　②急　③等　④登
12. 지경 계 (　　) ①直　②田　③界　④曲
13. 살 매 (　　) ①買　②賣　③場　④院
14. 펼 전 (　　) ①寸　②區　③九　④展
15. 군사 졸 (　　) ①兵　②軍　③病　④卒
16. 복 복 (　　) ①祖　②德　③福　④清
17. 될 화 (　　) ①花　②貝　③化　④活
18. 특별할 특 (　　) ①線　②特　③性　④旗
19. 뿌리 근 (　　) ①根　②秋　③教　④村
20. 길 로 (　　) ①吉　②空　③洞　④路

※ 물음에 알맞은 답을 고르시오.

21. "나무 위에 새가 모여서 앉아 있는 것"을 나타낸 글자로 '모이다'를 뜻하는 한자는? (　　)
①休　②林　③集　④植

22. 밑줄 친 한자의 독음이 다른 것은? ( )

①不信 ②不和 ③不利 ④不正

23. "과거의 잘못을 깊이 反省하다"에서 밑줄 친 '省'의 훈음으로 알맞은 것은? ( )

①덜 생 ②살필 성 ③허물 생 ④재앙 성

24. 한자와 부수의 연결이 바르지 않은 것은? ( )

①凶-凵 ②以-丶 ③首-首 ④美-羊

25. '勞'의 반의자는? ( )

①部 ②使 ③動 ④新

26. '格'의 유의자는? ( )

①式 ②實 ③勇 ④各

27. "□氣, □度, 室□"에서 □안에 공통으로 들어갈 알맞은 한자는? ( )

①火 ②雲 ③溫 ④內

※ 어휘의 독음이 바른 것을 고르시오.

28. 韓藥 ( ) ①한약 ②한악 ③한요 ④한낙

29. 事由 ( ) ①이유 ②사주 ③자유 ④사유

30. 勝算 ( ) ①권산 ②승산 ③승계 ④권계

31. 責任 ( ) ①청임 ②책사 ③책임 ④청사

32. 數目 ( ) ①수목 ②삭목 ③촉목 ④산목

33. 敬愛 ( ) ①공경 ②경로 ③공애 ④경애

34. 英語 ( ) ①영어 ②영언 ③영오 ④영문

※ 어휘의 뜻으로 알맞은 것을 고르시오.

35. 參席 ( )

①어떤 세 자리 ②세 가지의 법도

③끼어들어 방해함 ④어떤 자리에 참여함

36. 注文 ( )

①술법을 부릴 때 외는 글귀

②지위가 높은 벼슬아치의 집

③어떤 물건을 만들거나 보내어 달라고 부탁하는 일

④어떤 문장이나 글귀에 주를 붙여 쉽게 풀이한 글

37. 名醫 ( )

①이름난 요리사 ②이름난 의원이나 의사

③특효약 ④역사가 오래된 책

※ 낱말을 한자로 바르게 쓴 것을 고르시오.

38. 풍습: 풍속과 습관. ( )

①風習 ②風樂 ③風速 ④風向

39. 역사: 뛰어나게 힘이 센 사람. ( )

①力史 ②歷史 ③力士 ④歷士

※ 밑줄 친 어휘의 알맞은 독음을 고르시오.

40. 書堂에서는 오랫동안 인성교육을 해왔다. ( )

①사당 ②서당 ③마당 ④학당

41. 집중 폭우로 河川이(가) 범람하였다. ( )

①유천 ②강천 ③하천 ④하수

42. 가장 頭角을 나타낸 사람은 누구입니까? ( )

①수석 ②두각 ③만족 ④불만

※ 밑줄 친 부분을 한자로 바르게 쓴 것을 고르시오.

43. 이 책에서는 중세 귀족들의 생활을 엿볼 수 있다. ( )

①貴族 ②親族 ③良族 ④農族

44. 정오가 다가오자 슬슬 배가 고프다. ( )

①庭園 ②止午 ③因安 ④正午

※ 물음에 알맞은 답을 고르시오.

45. 어휘의 짜임이 '수식 관계'인 것은? ( )

①白雪 ②夏冬 ③生死 ④兄弟

46. '立體'의 반의어는? ( )

①客體 ②主體 ③形色 ④平面

47. 유의어의 연결이 바르지 않은 것은? ( )

①一元=多元 ②亡夫=先夫

③落陽=夕陽 ④入學=入校

48. '同苦同樂'의 속뜻으로 알맞은 것은? ( )

①이제야 비로소 처음 들음

②목숨을 내걸고 반대함

③같이 고생하고 즐김

④재산이 매우 많은 사람

49. 한자를 공부하는 학생의 자세로 바른 것은? ( )

①선생님 말씀을 귀담아 듣지 않는다.

②바른 자세로 글을 읽는다.

③한자의 뜻은 무시하고 음만 익힌다.

④획순에 맞게 쓰지 않고 내 맘대로 쓴다.

50. 1년은 모두 몇 절기인가? ( )

①20절기 ②16절기 ③12절기 ④24절기

대한민국한자급수자격검정시험 준4급

13회 실전대비문제

시험시간 : 40분

점수:

※ 한자의 훈음으로 바른 것을 고르시오.

1. 要 (　　) ①구할 요 ②잠잘 숙 ③굽을 곡 ④여름 하

2. 淸 (　　) ①과녁 적 ②맑을 청 ③고을 군 ④등급 급

3. 速 (　　) ①빠를 속 ②결단할 결 ③지날 과 ④놓을 방

4. 待 (　　) ①겨레 족 ②꾸짖을 책 ③덕 덕 ④기다릴 대

5. 思 (　　) ①효도 효 ②역사 사 ③급할 급 ④생각 사

6. 定 (　　) ①바를 정 ②정할 정 ③뜰 정 ④집 실

7. 典 (　　) ①전할 전 ②함께 공 ③노래 가 ④법 전

8. 窓 (　　) ①인할 인 ②빌 공 ③나눌 구 ④창문 창

※ 훈음에 맞는 한자를 고르시오.

9. 아름다울 미 (　　) ①李 ②美 ③登 ④赤

10. 팔 매 (　　) ①每 ②旗 ③買 ④賣

11. 공경할 경 (　　) ①敬 ②社 ③京 ④結

12. 하여금 사 (　　) ①仕 ②士 ③使 ④書

13. 받들 봉 (　　) ①福 ②部 ③奉 ④術

14. 격식 격 (　　) ①植 ②樹 ③果 ④格

15. 볕 양 (　　) ①院 ②陽 ③洋 ④秋

※ 물음에 알맞은 답을 고르시오.

16. 사람이 횃불을 들어 밝게 비추는 모습으로 '빛'을 뜻하는 한자는? (　　)

①位 ②休 ③明 ④光

17. 밑줄 친 '便'의 훈음이 다른 것은?

( )

①便安 ②便利 ③不便 ④便所

18. "연구 발표회에 토론자로 參席했다"에서 밑줄 친 '參'의 훈음으로 알맞은 것은?

( )

①섞일 삼 ②헤아릴 참 ③석 삼 ④참여할 참

19. '幸'을(를) 자전에서 찾을 때의 방법으로 바르지 않은 것은?

( )

①총획으로 찾을 때는 '8획'에서 찾는다.
②부수로 찾을 때는 '土'부수 5획에서 찾는다.
③부수로 찾을 때는 '干'부수 5획에서 찾는다.
④자음으로 찾을 때는 '행'음에서 찾는다.

20. '道'의 유의자는?

( )

①路 ②遠 ③然 ④首

21. '吉'의 반의자는?

( )

①童 ②貴 ③凶 ④黑

22. "文□, 同□, □音"에서 □안에 공통으로 들어갈 알맞은 한자는?

( )

①火 ②字 ③溫 ④卒

※ 어휘의 독음이 바른 것을 고르시오.

23. 草綠 ( ) ①초록 ②화록 ③초연 ④화초

24. 反省 ( ) ①판정 ②판성 ③반성 ④반생

25. 感性 ( ) ①감격 ②감성 ③함정 ④지성

26. 苦樂 ( ) ①구락 ②고요 ③고락 ④구악

27. 服用 ( ) ①복동 ②의용 ③육영 ④복용

28. 例事 ( ) ①례년 ②예사 ③세차 ④예법

29. 河川 ( ) ①해류 ②하천 ③해천 ④하류

30. 四角 ( ) ①서각 ②사방 ③사각 ④서기

31. 順理 ( ) ①훈이 ②혈리 ③순리 ④누리

※ 어휘의 뜻으로 알맞은 것을 고르시오.

32. 重任 ( )

①중대한 임무 ②오랫동안 해온 일
③임무를 져버림 ④중요한 편지

33. 由來 ( )

①흘러 움직임 ②떠내려가서 없어짐
③사물이나 일이 생겨난 바 ④기름이 나는 곳

34. 訓讀 ( )

①한자의 뜻을 새기어 읽음 ②한자의 음을 읽음
③소리 내어 읽음 ④문장의 뜻풀이

※ 낱말을 한자로 바르게 쓴 것을 고르시오.

35. 전개: 열리어 나타남. 내용을 진전시켜 펴 나감. (　　　)

①電開　②全開　③展開　④前開

36. 상대: 서로 마주 대함. 또는 그런 대상. (　　　)

①相對　②相色　③上代　④上對

37. 장고: 오랫동안 깊이 생각함. (　　　)

①長高　②長考　③場考　④場古

※ 밑줄 친 어휘의 알맞은 독음을 고르시오.

38. 기차역에 내일 아침 9시까지 모두 集合해야 한다. (　　　)

①추금　②회합　③집함　④집합

39. 복숭아를 加工해서 통조림으로 만들었다. (　　　)

①생식　②가능　③가공　④인공

40. 과식을 했더니 消化가 잘 안 된다. (　　　)

①소화　②산화　③초화　④소비

41. 다음 주에 교내 體育 대회가 열린다. (　　　)

①교육　②기술　③체육　④체조

※ 밑줄 친 부분을 한자로 바르게 쓴 것을 고르시오.

42. 병원에 있는 친구에게 문병을 다녀왔다. (　　　)

①問安　②問病　③門病　④聞病

43. 고등학교 이상의 학력을 가진 사람만이 그 시험에 응시할 수 있었다. (　　　)

①話歷　②韓歷　③和歷　④學歷

44. 적당한 운동은 건강에 좋다. (　　　)

①運命　②運動　③雲動　④運行

※ 물음에 알맞은 답을 고르시오.

45. 서로 비슷한 뜻의 한자로 이루어진 어휘로 바른 것은? (　　　)

①一言　②良心　③青天　④算數

46. '兵力'의 유의어는? (　　　)

①兄弟　②大刀　③自力　④軍力

47. '月末'의 반의어는? (　　　)

①月初　②本末　③年末　④年初

48. "以實直告"의 속뜻으로 알맞은 것은?(　　　)

①말을 거침없이 잘함　②사실 그대로 고함

③이치에 맞지 않음

④현실성이 없는 허황한 말

49. 웃어른을 대하는 태도로 바르지 않은 것은? (　　　)

①공손하게 머리를 숙여 인사한다.

②무거운 물건을 들어 드린다.

③묻는 말에 대충 고개만 끄덕인다.

④자리를 양보해 드린다.

50. '대보름'의 풍속이 아닌 것은? (　　　)

①부럼깨기　②오곡밥　③더위팔기　④부채선물

대한민국한자급수자격검정시험 준4급

14회 실전대비문제

시험시간 : 40분

점수:

※ 한자의 훈음으로 바른 것을 고르시오.

1. 界 (　　　) ①뿔 각 ②지경 계 ③으뜸 원 ④열매 실

2. 責 (　　　) ①꾸짖을 책 ②볕 양 ③군사 졸 ④자리 석

3. 苦 (　　　) ①괴로울 고 ②집 당 ③인할 인 ④예 고

4. 醫 (　　　) ①구할 요 ②잠잘 숙 ③의원 의 ④들 야

5. 術 (　　　) ①결단할 결 ②열 개 ③익힐 습 ④재주 술

6. 結 (　　　) ①격식 격 ②공경할 경 ③맺을 결 ④공변될 공

7. 可 (　　　) ①노래 가 ②옳을 가 ③신하 신 ④입 구

8. 州 (　　　) ①대 죽 ②고을 주 ③쉴 휴 ④겉 표

※ 훈음에 맞는 한자를 고르시오.

9. 글 장 (　　　) ①億 ②番 ③場 ④章

10. 이길 승 (　　　) ①勝 ②服 ③速 ④急

11. 법식 례 (　　　) ①食 ②市 ③例 ④植

12. 법 전 (　　　) ①里 ②典 ③農 ④向

13. 푸를 록 (　　　) ①林 ②末 ③綠 ④外

14. 눈 설 (　　　) ①法 ②足 ③再 ④雪

15. 그칠 지 (　　　) ①止 ②邑 ③地 ④然

※ 물음에 알맞은 답을 고르시오.

16. "사람과 말씀이 합쳐진 자로 사람이 하는 말에는 믿음성이 있어야 한다"는 뜻으로 만들어진 한자는? (　　　)

①住 ②信 ③言 ④語

17. "多少"에서 밑줄 친 '少'의 뜻으로 알맞은 것은? ( )

①빠지다 ②잠깐 ③젊다 ④적다

18. "畫順에 따라 글씨를 쓰는 것이 좋다"에서 밑줄 친 '畫'의 훈음으로 알맞은 것은? ( )

①그을 화 ②낮 주 ③그을 획 ④그림 획

19. '貴'을(를) 자전에서 찾을 때의 방법으로 바르지 않은 것은? ( )

①총획으로 찾을 때는 '11'획에서 찾는다.

②자음으로 찾을 때는 '귀'음에서 찾는다.

③총획으로 찾을 때는 '12'획에서 찾는다.

④부수로 찾을 때는 '貝'부수 5획에서 찾는다.

20. '首'의 유의자는? ( )

①功 ②訓 ③室 ④頭

21. '孫'의 반의자는? ( )

①祖 ②子 ③兄 ④父

22. "過□, □業, □明"에서 □안에 공통으로 들어갈 알맞은 한자는? ( )

①家 ②青 ③失 ④曲

※ 어휘의 독음이 바른 것을 고르시오.

23. 良藥 ( ) ①양락 ②랑락 ③농약 ④양약

24. 溫水 ( ) ①온도 ②온수 ③척도 ④척수

25. 同根 ( ) ①동량 ②동곤 ③동기 ④동근

26. 品位 ( ) ①품립 ②품위 ③구위 ④구립

27. 輕車 ( ) ①영차 ②솔거 ③경차 ④운거

28. 對答 ( ) ①대답 ②정답 ③문답 ④대화

29. 現在 ( ) ①구재 ②현존 ③구존 ④현재

30. 發展 ( ) ①발전 ②폐전 ③폐간 ④발간

31. 親族 ( ) ①친방 ②친족 ③신선 ④친선

※ 어휘의 뜻으로 알맞은 것을 고르시오.

32. 校庭 ( )

①일정하게 가르치고 기름

②글자를 바로잡는 일

③학교의 마당이나 운동장

④자주 가르쳐서 바로잡음

33. 注目 ( )

①주요한 제목 ②관심을 가지고 주의 깊게 살핌

③물을 끌어옴 ④기름을 넣음

34. 雲集 ( )

①멋스럽고 운치가 있음 ②바람과 구름

③문장을 모아 엮은 책 ④많은 사람이 모여듦

※ 낱말을 한자로 바르게 쓴 것을 고르시오.

35. 적중: 목표에 정확히 들어맞음. (　　　)
①的中　②的計　③中央　④史的

36. 덕행: 어질고 너그러운 행실. (　　　)
①度幸　②德行　③德幸　④度行

37. 재능: 재주와 능력. (　　　)
①能力　②材力　③才能　④材能

※ 밑줄 친 어휘의 알맞은 독음을 고르시오.

38. 저 섬까지가 우리 漁區이다. (　　　)
①해구　②어구　③어촌　④어업

39. 서로 相反된 견해로 사이가 좋지 않다. (　　　)
①상립　②대치　③대립　④상반

40. 전쟁이 아닌 平和적인 방법을 모색해 한다. (　　　)
①평화　②대화　③온화　④민주

41. 대립하던 둘 사이에 또 다시 流血 충돌이 벌어졌다. (　　　)
①무력　②집단　③유혈　④의견

※ 밑줄 친 부분을 한자로 바르게 쓴 것을 고르시오.

42. 이번 달에는 가족 행사가 많아서 적자가 났다. (　　　)
①赤字　②黑字　③赤自　④黑自

43. 내가 제일 잘하는 과목은 한문이다. (　　　)
①第日　②弟一　③弟日　④第一

44. 이 동시를 낭랑한 목소리로 읽어보세요. (　　　)
①漢詩　②童時　③童詩　④動時

※ 물음에 알맞은 답을 고르시오.

45. 어휘의 짜임이 다른 것은? (　　　)
①算數　②樹木　③本心　④海洋

46. '昨年'의 유의어는? (　　　)
①去年　②今年　③來年　④昨今

47. '便安'의 반의어는? (　　　)
①不利　②不便　③便利　④安全

48. "馬耳東風"의 속뜻으로 바른 것은? (　　　)
①경치 좋고 이름난 산천
②늙지 않고 오래 삶
③죽을 고비를 여러 차례 겪음
④남의 말을 귀담아듣지 않음

49. 우리 조상들이 남긴 문화유산을 대하는 태도로 바르지 않은 것은? (　　　)
①조상의 얼을 느껴본다.
②대충대충 관리한다.
③소중히 아끼고 보존한다.
④강한 자긍심을 갖는다.

50. 앞으로 계승 발전 시켜야 할 우리의 고유 민속놀이로 알맞지 않은 것은? (　　　)
①카드놀이　②줄다리기　③강강술래　④씨름

대한민국한자급수자격검정시험 준4급

15회 실전대비문제

시험시간 : 40분

점수:

※ 한자의 훈음으로 바른 것을 고르시오.

1. 庭 ( ) ①많을 다 ②글 장 ③아름다울 미 ④뜰 정

2. 賣 ( ) ①꾸짖을 책 ②살 매 ③팔 매 ④차례 번

3. 消 ( ) ①얼음 빙 ②사라질 소 ③셈 수 ④법 식

4. 黑 ( ) ①검을 흑 ②굽을 곡 ③으뜸 원 ④알 지

5. 德 ( ) ①일 업 ②은 은 ③덕 덕 ④밤 야

6. 歷 ( ) ①언덕 원 ②거느릴 부 ③군사 병 ④지낼 력

7. 展 ( ) ①두 재 ②펼 전 ③기 기 ④귀할 귀

8. 奉 ( ) ①받들 봉 ②대답할 대 ③살필 성 ④털 모

※ 훈음에 맞는 한자를 고르시오.

9. 고을 주 ( ) ①川 ②語 ③州 ④竹

10. 반드시 필 ( ) ①心 ②黃 ③便 ④必

11. 집 원 ( ) ①院 ②室 ③宿 ④空

12. 예도 례 ( ) ①別 ②以 ③禮 ④待

13. 창문 창 ( ) ①窓 ②短 ③會 ④急

14. 망할 망 ( ) ①公 ②亡 ③圖 ④工

15. 그럴 연 ( ) ①貝 ②通 ③天 ④然

※ 물음에 알맞은 답을 고르시오.

16. "얼굴 · 머리 · 목 등 사람의 머리 앞모양"을 본뜬 글자로 '머리'를 뜻하는 한자는? ( )
①仕 ②京 ③首 ④米

17. "畫順에 따라 글씨를 써야 바르게 쓸 수 있다"에서 밑줄 친 '畫'의 훈음으로 바른 것은? (　　　)

①그림 화　②그림 획　③그을 획　④그을 화

18. "人力車"에서 밑줄 친 '車'의 훈음으로 바른 것은? (　　　)

①차례 거　②수래 차　③수레 거　④차례 차

19. '雪'을(를) 자전에서 찾을 때의 방법으로 바르지 않은 것은? (　　　)

①부수로 찾을 때는 '⺕'부수 8획에서 찾는다.

②부수로 찾을 때는 '雨'부수 3획에서 찾는다.

③자음으로 찾을 때는 '설'음에서 찾는다.

④총획으로 찾을 때는 '11획'에서 찾는다.

20. '兒'의 유의자는?

(　　　)

①兄　②童　③男　④少

21. '因'의 반의자는?

(　　　)

①果　②凶　③過　④開

22. "現□, □學, 内□"에서 □안에 공통으로 들어갈 알맞은 한자는? (　　　)

①高　②村　③任　④在

※ 어휘의 독음이 바른 것을 고르시오.

23. 反感 (　　　) ①우심　②우감　③반감　④반심

24. 結合 (　　　) ①결합　②연합　③결론　④결탁

25. 使臣 (　　　) ①공신　②수신　③신사　④사신

26. 安住 (　　　) ①전주　②안주　③안전　④이주

27. 輕油 (　　　) ①경차　②경유　③경우　④경거

28. 勇士 (　　　) ①무사　②전사　③용토　④용사

29. 田園 (　　　) ①정원　②전단　③전원　④전야

30. 交流 (　　　) ①교류　②육류　③부류　④교통

31. 功勞 (　　　) ①공영　②노력　③노동　④공로

※ 어휘의 뜻으로 알맞은 것을 고르시오.

32. 溫氣 (　　　)

①습한 날씨　②따뜻한 기운

③화난 얼굴　④따뜻한 온천수

33. 風雲 (　　　)

①큰 바람　②비바람

③아름다운 세상　④바람과 구름

34. 登場 (　　　)

①뽑아서 씀　②무대나 연단에 나옴

③하늘에 오름　④물러나서 자취를 감춤

※ 낱말을 한자로 바르게 쓴 것을 고르시오.

35. 참가: 모임이나 단체 또는 일에 관계하여 들어감. (　　　)

①參加　②參可　③算可　④算加

36. 조손: 할아버지와 손자를 아울러 이르는 말. (　　　)

①卒孫　②祖卒　③祖孫　④朝孫

37. 명의: 병을 잘 고치는 이름난 의사. (　　　)

①名醫　②各衣　③名衣　④各醫

※ 밑줄 친 어휘의 알맞은 독음을 고르시오.

38. 아침 일찍 고향으로 出發했다. (　　　)

①출등　②출발　③시작　④도착

39. 오늘 저녁 아버지께서는 사무실 當直이시다. (　　　)

①실번　②실직　③당번　④당직

40. 의견에 대한 반대를 表明하였다. (　　　)

①표명　②표시　③청명　④표현

41. 해마다 家族 구성원의 수가 줄고 있다. (　　　)

①가계　②식구　③가족　④가정

※ 밑줄 친 부분을 한자로 바르게 쓴 것을 고르시오.

42. 기존 회원들이 모두 동의해야 한다. (　　　)

①同如　②洞意　③洞思　④同意

43. 악천후 때문에 행군을 중지했다. (　　　)

①重地　②重止　③中止　④中地

44. 사진보다 실물이 더 예쁘다. (　　　)

①物動　②實物　③實動　④失物

※ 물음에 알맞은 답을 고르시오.

45. 어휘의 짜임이 '수식 관계'인 것은? (　　　)

①休日　②根本　③身體　④河海

46. '落陽'의 유의어는? (　　　)

①樂陽　②光陽　③夕陽　④陽光

47. '冬服'의 반의어는? (　　　)

①面服　②夏冬　③敬服　④夏服

48. "山戰水戰"의 속뜻으로 알맞은 것은? (　　　)

①힘에 겨운 싸움을 함

②세상의 온갖 고생과 어려움을 겪음

③전쟁이 끊이지 않음　④싸울 때마다 이김

49. 우리의 전통문화를 이해하기 위한 방법으로 바르지 않은 것은? (　　　)

①옛날 것은 항상 쓸모없다고 생각한다.

②현장 학습을 통해서 다양하게 경험을 해 본다.

③관련 서적을 통해 간접 경험을 해 본다.

④우리 것이 소중한 것임을 잊지 않는다.

50. 우리의 행동으로 바르지 못한 것은? (　　　)

①음식을 골고루 잘 먹는다

②동생을 잘 보살피며 사이좋게 지낸다.

③장난감 정리는 스스로 알아서 한다.

④외출했다 들어와서도 손발을 잘 씻지 않는다.

* 準四級漢字

심화학습문제

모 | 범 | 답 | 안

 회 심화학습문제 (125~127쪽)

1.③ 2.① 3.④ 4.① 5.① 6.① 7.② 8.③ 9.④ 10.② 11.③ 12.④ 13.② 14.① 15.② 16.① 17.② 18.④ 19.② 20.③ 21.③ 22.④ 23.③ 24.① 25.② 26.① 27.① 28.① 29.③ 30.④ 31.② 32.② 33.④ 34.③ 35.① 36.① 37.③ 38.③ 39.② 40.② 41.③ 42.④ 43.② 44.② 45.④ 46.④ 47.② 48.③ 49.④ 50.④

② 회 심화학습문제 (128~130쪽)

1.① 2.④ 3.② 4.② 5.① 6.② 7.④ 8.② 9.④ 10.③ 11.① 12.③ 13.② 14.④ 15.① 16.① 17.③ 18.③ 19.① 20.② 21.④ 22.① 23.③ 24.③ 25.③ 26.① 27.③ 28.① 29.③ 30.① 31.③ 32.④ 33.③ 34.② 35.④ 36.③ 37.① 38.② 39.③ 40.② 41.① 42.③ 43.① 44.④ 45.③ 46.③ 47.① 48.① 49.③ 50.④

③ 회 심화학습문제 (131~133쪽)

1.④ 2.② 3.① 4.③ 5.④ 6.④ 7.① 8.① 9.③ 10.② 11.④ 12.② 13.② 14.① 15.③ 16.③ 17.① 18.② 19.① 20.④ 21.③ 22.④ 23.④ 24.① 25.③ 26.② 27.③ 28.③ 29.② 30.④ 31.① 32.① 33.② 34.④ 35.① 36.③ 37.③ 38.② 39.③ 40.③ 41.③ 42.② 43.② 44.① 45.③ 46.② 47.③ 48.④ 49.③ 50.②

 회 심화학습문제 (134~136쪽)

1.① 2.③ 3.④ 4.① 5.③ 6.④ 7.④ 8.① 9.② 10.① 11.③ 12.④ 13.① 14.① 15.② 16.④ 17.③ 18.② 19.① 20.③ 21.④ 22.② 23.② 24.① 25.① 26.② 27.③ 28.① 29.③ 30.④ 31.② 32.① 33.② 34.④ 35.③ 36.② 37.④ 38.④ 39.③ 40.③ 41.① 42.④ 43.③ 44.② 45.④ 46.③ 47.③ 48.① 49.④ 50.③

 회 심화학습문제 (137~139쪽)

1.① 2.③ 3.④ 4.① 5.② 6.④ 7.③ 8.② 9.④ 10.② 11.① 12.① 13.② 14.② 15.③ 16.② 17.④ 18.④ 19.① 20.③ 21.③ 22.① 23.② 24.① 25.④ 26.① 27.④ 28.④ 29.① 30.③ 31.② 32.① 33.④ 34.① 35.② 36.③ 37.③ 38.② 39.② 40.③ 41.② 42.① 43.③ 44④ 45.① 46.③ 47.② 48.① 49.④ 50.②

실전대비문제

모|범|답|안 1회

■ 다음 물음에 맞는 답의 번호를 골라 답안지의 해당 답란에 표시하시오.

※ 한자의 훈음이 바른 것을 고르시오.

1. 晝 (①) ①그림 화 ②움직일 운 ③줄 선 ④낮 주

[설명] ◎運(움직일 운), 線(줄 선), 晝(낮 주).

2. 反 (①) ①돌이킬 반 ②나눌 반 ③순할 순 ④믿을 신

[설명] ◎班(나눌 반), 順(순할 순), 信(믿을 신).

3. 飮 (②) ①마디 촌 ②마실 음 ③거느릴 부 ④길 로

[설명] ◎寸(마디 촌), 部(거느릴 부), 路(길 로).

4. 史 (③) ①말씀 어 ②셈 산 ③역사 사 ④셀 계

[설명] ◎語(말씀 어), 算(셈 산), 計(셀 계).

5. 賣 (③) ①아침 조 ②살 활 ③팔 매 ④살 매

[설명] ◎朝(아침 조), 活(살 활), 買(살 매).

6. 吉 (②) ①고기 육 ②길할 길 ③망할 망 ④몸 기

[설명] ◎肉(고기 육), 亡(망할 망), 己(몸 기).

7. 流 (③) ①얼음 빙 ②순박할 박 ③흐를 류 ④마을 촌

[설명] ◎冰(얼음 빙), 朴(순박할 박), 村(마을 촌).

8. 球 (①) ①공 구 ②성품 성 ③성씨 성 ④이길 승

[설명] ◎性(성품 성), 姓(성씨 성), 勝(이길 승).

9. 待 (②) ①마당 장 ②기다릴 대 ③글 장 ④눈 설

[설명] ◎場(마당 장), 章(글 장), 雪(눈 설).

10. 德 (④) ①편할 편 ②가을 추 ③설 립 ④덕 덕

[설명] ◎便(편할 편), 秋(가을 추), 立(설 립).

※ 훈음에 맞는 한자를 고르시오.

11. 나타날 현 (①) ①現 ②定 ③郡 ④因

[설명] ◎定(정할 정), 郡(고을 군), 因(인할 인).

12. 지낼 력 (②) ①院 ②歷 ③農 ④直

[설명] ◎院(집 원), 農(농사 농), 直(곧을 직).

13. 아이 동 (③) ①理 ②里 ③童 ④玉

[설명] ◎理(다스릴 리), 里(마을 리), 玉(구슬 옥).

14. 결단할 결 (②) ①然 ②決 ③京 ④淸

[설명] ◎然(그럴 연), 京(서울 경), 淸(맑을 청).

15. 나무 수 (①) ①樹 ②林 ③植 ④木

[설명] ◎林(수풀 림), 植(심을 식), 木(나무 목).

16. 생각 사 (③) ①田 ②貝 ③思 ④急

[설명] ◎田(밭 전), 貝(조개 패), 急(급할 급).

17. 자리 석 (④) ①宿 ②石 ③夕 ④席

[설명] ◎宿(잠잘 숙), 石(돌 석), 夕(저녁 석).

18. 신하 신 (④) ①向 ②凶 ③區 ④臣

[설명] ◎向(향할 향), 凶(흉할 흉), 區(나눌 구).

19. 그칠 지 (①) ①止 ②放 ③幸 ④竹

[설명] ◎放(놓을 방), 幸(다행 행), 竹(대 죽).

20. 알릴 고 (①) ①告 ②毛 ③市 ④苦

[설명] ◎毛(털 모), 市(저자 시), 苦(괴로울 고).

※ 물음에 알맞은 답을 고르시오.

21. "음식과 술을 잘 차리고 제사를 지내 하늘로부터 복을 받는다"하여 '복'을 뜻하게 된 한자는? (②)

①學 ②福 ③讀 ④禮

[설명] ◎福(복 복). ◎學(배울 학), 讀(읽을 독), 禮(예도 례).

22. 어휘의 독음이 맞지 <u>않은</u> 것은? (①)

①風樂(풍요) ②不安(불안) ③當落(당락) ④任命(임명)

[설명] ◎風樂(풍악): 예로부터 전해 오는 우리나라 고유의 음악. 주로 기악을 이른다.

23. 밑줄 친 '失'의 뜻이 <u>다른</u> 것은? (②)

①<u>失</u>意 ②過<u>失</u> ③<u>失</u>神 ④<u>失</u>明

[설명] ◎失(실·일): 잃을, 잃어버릴, 달아날, 도망칠, 남길, 빠뜨릴, 잘못볼, 오인할, 틀어질, 가다, 떠나다, 잘못할, 그르칠, 어긋날, 마음을 상할, 바꿀, 잘못, 허물, 지나침 (실) / 놓다, 놓아줄, 풀어놓을, 달아날, 벗어날, 즐길, 좋아할 (일). ◎失意(실의): 뜻이나 의욕을 잃음. ◎失神(실신): 병이나 충격 따위로 정신을 잃음. ◎失明(실명): 시력을 잃어 앞을 못 보게 됨. 이상은 '失'이 '잃어버리다'의 뜻으로 쓰였다. ◎過失(과실):「1」 부주의나 태만 따위에서 비롯된 잘못이나 허물.「2」『법률』부주의로 인하여, 어떤 결과의 발생을 미리 내다보지 못한 일. 이는 '失'이 '잘못, 허

물'이라는 뜻으로 쓰였다.

24. 한자와 부수의 연결이 바르지 않은 것은?(①)
①邑-口 ②以-人 ③孝-子 ④用-用
[설명] ◎邑(고을 읍): 제부수, 총7획.

25. 유의자의 연결이 바르지 않은 것은? (②)
①河=江 ②海=羊 ③例=式 ④集=合
[설명] ◎海(바다 해) = 洋(큰바다 양). ◎羊(양 양).

26. '祖'의 반의자는? (①)
①孫 ②堂 ③重 ④强
[설명] ◎祖(할아비 조) ↔ 孫(손자 손).

27. "□曲, □手, 校□"에서 □안에 공통으로 들어갈 한 자는? (③)
①樂 ②加 ③歌 ④九
[설명] ◎歌曲(가곡): 「1」 우리나라 전통 성악곡의 하나. 시조의 시를 5장 형식으로, 피리・젓대・가야금・거문고・해금 따위의 관현악 반주에 맞추어 부른다. 평조와 계면조 두 음계에 남창과 여창의 구분이 있다. 「2」 서양 음악에서, 시에 곡을 붙인 성악곡. 보통 피아노 반주에 맞추어 부르며, 독창곡・중창곡・합창곡이 있다. ◎歌手(가수): 노래 부르는 것이 직업인 사람. ◎校歌(교가): 학교를 상징하는 노래. 학교의 교육 정신, 이상, 특성 따위를 담고 있다.

※ 어휘의 독음이 바른 것을 고르시오.

28. 野心 (④) ①여심 ②아심 ③이모 ④야심
[설명] ◎野心(야심): 「1」 순하게 길이 들지 않고 걸핏하면 해치려는 마음. 「2」 무엇을 이루어 보겠다고 마음속에 품고 있는 욕망이나 소망. 「3」 벼슬을 버리고 전원에 묻히려는 마음. 「4」 야비한 마음.

29. 別記 (④) ①별사 ②부기 ③기록 ④별기
[설명] ◎別記(별기): 본문에 덧붙여 따로 적음. 또는 그런 기록.

30. 韓藥 (②) ①한요 ②한약 ③한악 ④한낙
[설명] ◎韓藥(한약): 한방에서 쓰는 약. 풀뿌리, 열매, 나무껍질 따위가 주요 약재이다.

31. 親庭 (①) ①친정 ②정원 ③가친 ④친족
[설명] ◎親庭(친정): 결혼한 여자의 부모 형제 등이 살고 있는 집.

32. 訓話 (①) ①훈화 ②훈설 ③화설 ④순화
[설명] ◎訓話(훈화): 훈이나 훈시를 함. 또는 그런 말.

33. 功勞 (③) ①공영 ②노력 ③공로 ④노동
[설명] ◎功勞(공로): 일을 마치거나 목적을 이루는 데 들인 노력과 수고. 또는 일을 마치거나 그 목적을 이룬 결과로서의 공적.

34. 表紙 (③) ①포교 ②의지 ③표지 ④색지
[설명] ◎表紙(표지): 「1」 책의 맨 앞뒤의 겉장. 「2」 읽던 곳이나 필요한 곳을 찾기 쉽도록 책갈피에 끼워 두는 종이쪽지나 끈.

35. 第三者 (②)
①제삼작 ②제삼자 ③재삼자 ④재삼작
[설명] ◎第三者(제삼자): 「1」 일정한 일에 직접 관계가 없는 사람. 「2」 『법률』 법률 행위에 직접 관여하지 않는 사람.

※ 어휘의 뜻으로 알맞은 것을 고르시오.

36. 社旗 (③)
①병사들의 씩씩한 기개. ②일의 기틀.
③회사를 상징하는 깃발. ④회사의 기초.

37. 問責 (③)
①해답을 필요로 하는 물음. ②제목을 정함.
③일의 책임을 물어 꾸짖음. ④어려운 문제를 물어봄.

※ 낱말을 한자로 바르게 쓴 것을 고르시오.

38. 원아: 유치원에 다니는 아이. (③)
①元兒 ②原兒 ③園兒 ④遠兒

39. 동창: 같은 학교나 같은 스승 밑에서 공부한 관계. (④)
①東門 ②東窓 ③同文 ④同窓

※ 밑줄 친 어휘의 알맞은 독음을 고르시오.

40. <u>勇氣</u> 있는 사람이 되어야 한다. (③)
①용맹 ②맹기 ③용기 ④포부
[설명] ◎勇氣(용기): 씩씩하고 굳센 기운. 또는 사물을 겁내지 아니하는 기개.

41. 해마다 <u>家族</u> 구성원의 수가 줄고 있다. (①)
①가족 ②가계 ③식구 ④가정
[설명] ◎家族(가족): 주로 부부를 중심으로 한, 친족 관계에 있는 사람들의 집단. 또는 그 구성원. 혼인, 혈연, 입양 등으로 이루어진다.

42. 전쟁이 아닌 <u>平和</u>적인 방법을 모색해야 한다. (①)
①평화 ②평이 ③편리 ④온화
[설명] ◎平和(평화): 「1」 평온하고 화목함. 「2」 전쟁, 분쟁 또는 일체의 갈등이 없이 평온함. 또는 그런 상태.

※ 다음 면에 계속

모|범|답|안 1회

※ 밑줄 친 부분을 한자로 바르게 쓴 것을 고르시오.

43. 과속 운전은 생명을 위협하는 행위이다. (①)
①過速 ②科速 ③過緣 ④科緣
[설명] ◎過速(과속): 자동차 따위의 주행 속도를 너무 빠르게 함. 또는 그 속도.

44. 인간은 만물의 영장. (①)
①萬物 ②物品 ③古物 ④億萬
[설명] ◎萬物(만물): 세상에 있는 모든 것.

※ 물음에 알맞은 답을 고르시오.

45. 어휘의 짜임이 '수식관계'가 아닌 것은? (④)
①良書 ②一口 ③千金 ④天地
[설명] ◎良書(양서): 내용이 교훈적이거나 건전한 책. ◎一口(일구): 「1」 단 한 사람. 「2」 여러 사람의 똑같은 말. 「3」 한 마디의 말. 「4」 한 입. ◎千金(천금): 「1」 많은 돈이나 비싼 값을 비유적으로 이르는 말. 「2」 아주 귀중한 것을 비유적으로 이르는 말. 이상은 앞 글자가 뒷 글자를 꾸며주는 '수식관계'이다. ◎天地(천지): 「1」 하늘과 땅을 아울러 이르는 말. 「2」 '세상', '우주', '세계'의 뜻으로 이르는 말. 「3」 대단히 많음. 이는 서로 반대의 뜻의 한자로 이루어진 '병렬관계'이다.

46. 유의어가 잘못 연결된 것은? (①)
①夏服=內服 ②年初=年始 ③等位=等級 ④落陽=夕陽
[설명] ◎夏服(하복): 여름철에 입는 옷. ◎內服(내복): 「1」 겉옷의 안쪽에 몸에 직접 닿게 입는 옷. 「2」 팬티나 러닝셔츠, 브래지어 따위의 기본 속옷 위에 껴입는 방한용 옷. 신축성과 탄력성이 좋다.

47. '下午'의 반의어는? (④)
①午前 ②午後 ③正午 ④上午
[설명] ◎下午(하오): 정오부터 해가 질 때까지의 동안. ↔ ◎上午(상오): 「1」 자정부터 낮 열두 시까지의 시간. 「2」 해가 뜰 때부터 정오까지의 시간.

48. '事實無根'의 속뜻으로 알맞은 것은? (④)
①근거없는 거짓말을 함. ②뿌리 없는 나무.
③새로운 사건이 발생하지 않음.
④근거가 없거나 사실과 전혀 다름.
[설명] ◎事實無根(사실무근): 근거가 없음. 또는 터무니없음.

49. 自習시간의 학습 태도로 바르지 않은 것은? (①)
①급한 용무가 있으면 쿵쾅거리며 뛰어나간다.
②다른 친구에게 방해가 되지 않도록 주의한다.
③조용히 앉아 부족한 과목을 工夫한다.
④옆 사람과 잡담하며 떠들지 않는다.
[설명] ◎급한 용무가 있더라도 주변 사람들에게 피해가 가지 않도록 조용히 움직여야 한다.

50. 정월 대보름에 먹는 음식이 아닌 것은? (①)
①송편 ②귀밝이술 ③부럼 ④오곡밥
[설명] ◎송편은 흔히 음력 8월 15일, '추석'에 먹는 음식이다.

♣ 수고하셨습니다.

準四級漢字

모범답안 2회

실전대비문제

■ 다음 물음에 맞는 답의 번호를 골라 답안지의 해당 답란에 표시하시오.

※ 한자의 훈음이 바른 것을 고르시오.

1. 體 (④) ①머리 두 ②가벼울 경 ③이길 승 ④몸 체

[설명] ◎頭(머리 두), 輕(가벼울 경), 勝(이길 승).

2. 在 (①) ①있을 재 ②왼 좌 ③오른 우 ④온전할 전

[설명] ◎左(왼 좌), 右(오른 우), 全(온전할 전).

3. 服 (④) ①순할 순 ②옷 의 ③받들 봉 ④옷 복

[설명] ◎順(순할 순), 衣(옷 의), 奉(받들 봉).

4. 窓 (③) ①덕 덕 ②급할 급 ③창문 창 ④마땅할 당

[설명] ◎德(덕 덕), 急(급할 급), 當(마땅할 당).

5. 野 (③) ①마당 장 ②글자 자 ③들 야 ④마을 리

[설명] ◎場(마당 장), 字(글자 자), 里(마을 리).

6. 球 (④) ①과목 과 ②구슬 옥 ③나타날 현 ④공 구

[설명] ◎科(과목 과), 玉(구슬 옥), 現(나타날 현).

7. 苦 (③) ①대답 답 ②알릴 고 ③괴로울 고 ④높을 고

[설명] ◎答(대답 답), 告(알릴 고), 高(높을 고).

8. 凶 (②) ①나눌 구 ②흉할 흉 ③향할 향 ④고기 육

[설명] ◎區(나눌 구), 向(향할 향), 肉(고기 육).

9. 老 (④) ①죽을 사 ②고을 읍 ③밤 야 ④늙을 로

[설명] ◎死(죽을 사), 邑(고을 읍), 夜(밤 야).

10. 兵 (④) ①군사 졸 ②병 병 ③대신할 대 ④군사 병

[설명] ◎卒(군사 졸), 病(병 병), 代(대신할 대).

※ 훈음에 맞는 한자를 고르시오.

11. 의원 의 (②) ①藥 ②醫 ③園 ④韓

[설명] ◎藥(약 약), 園(동산 원), 韓(나라이름 한).

12. 구름 운 (③) ①夏 ②電 ③雲 ④弱

[설명] ◎夏(여름 하), 電(번개 전), 弱(약할 약).

13. 옳을 가 (①) ①可 ②刀 ③同 ④寸

[설명] ◎刀(칼 도), 同(한가지 동), 寸(마디 촌).

14. 벼슬할 사 (③) ①士 ②使 ③仕 ④思

[설명] ◎士(선비 사), 使(하여금 사), 思(생각 사).

15. 씻을 세 (①) ①洗 ②消 ③洞 ④決

[설명] ◎消(사라질 소), 洞(고을 동), 決(결단할 결).

16. 귀할 귀 (②) ①直 ②貴 ③育 ④買

[설명] ◎直(곧을 직), 育(기를 육), 買(살 매).

17. 더할 가 (④) ①如 ②和 ③功 ④加

[설명] ◎如(같을 여), 和(화할 화), 功(공 공).

18. 기다릴 대 (①) ①待 ②級 ③線 ④姓

[설명] ◎級(등급 급), 線(줄 선), 姓(성씨 성).

19. 손자 손 (④) ①術 ②班 ③步 ④孫

[설명] ◎術(재주 술), 班(나눌 반), 步(걸음 보).

20. 순박할 박 (②) ①竹 ②朴 ③外 ④村

[설명] ◎竹(대 죽), 外(바깥 외), 村(마을 촌).

※ 물음에 알맞은 답을 고르시오.

21. "작은 것까지 자세히 본다"는 뜻에서 '살피다'를 뜻하는 한자는? (④)

①首 ②少 ③貝 ④省

[설명] ◎省(살필 성).

22. 어휘의 독음이 맞지 <u>않은</u> 것은? (①)

①李花(리화) ②良能(양능)
③事理(사리) ④路面(노면)

[설명] ◎李花(이화): 「1」 자두나무의 꽃. 「2」 모자표(帽子標). 「3」 『역사』 조선 후기에, 관리들이 쓰던 휘장(徽章). ◎두음법칙(頭音法則): 일부 소리가 단어의 첫머리에 발음되는 것을 꺼려 다른 소리로 발음되는 일. 'ㅣ, ㅑ, ㅕ, ㅛ, ㅠ' 앞에서의 'ㄹ'과 'ㄴ'이 'ㅇ'이 되고, 'ㅏ, ㅓ, ㅗ, ㅜ, ㅡ, ㅐ, ㅔ, ㅚ' 앞의 'ㄹ'은 'ㄴ'으로 변하는 것 따위이다.

23. "선수들은 <u>強度</u> 높은 훈련에 지쳐있었다"에서 밑줄 친 '度'의 훈음으로 바른 것은? (②)

①풍채 도 ②정도 도 ③셈할 탁 ④헤아릴 탁

[설명] ◎度(도・탁・택): 법도, 법제, 법, 자, 도구, 도수, 횟수, ~번, ~도, 기량, 국량, 가락, 율려, 모양, 모습, 풍채, 정도, 태양, 하루의 해, 천체의 속도, 때, 기회, 바룰, 바로잡을, 갈, 떠날, 통과할, 건널, 건넬, 기준으로 삼아 따를, 깨닫다, 번뇌에서 해탈할, 나를, 운반할, 넘을, 넘어설, 승려가 될 (도) / 헤아릴, 추측할,

꾀할, 생각할, 던질, 셀, 잴, 벨 (탁) / 살, 자리잡고 살, 묻을 (택). ◎强度(강도): 「1」 센 정도. 「2」 『물리』 전장(電場)·전류(電流)·방사능 따위의 양(量)의 세기.

24. '雪'을(를) 자전에서 찾을 때의 방법으로 바르지 않은 것은? (③)
①총획으로 찾을 때는 '11획'에서 찾는다.
②자음으로 찾을 때는 '설'음에서 찾는다.
③부수로 찾을 때는 'ㅋ'부수 8획에서 찾는다.
④부수로 찾을 때는 '雨'부수 3획에서 찾는다.
[설명] ◎雪(눈 설): 雨(비 우, 8획)부수의 3획, 총11획.

25. '根'의 유의자는? (②)
①校 ②本 ③植 ④木
[설명] ◎根(뿌리, 근본 근) = 本(근본 본).

26. 반의자의 연결이 바르지 않은 것은? (①)
①訓↔敎 ②登↔落 ③古↔今 ④遠↔近
[설명] ◎訓(가르칠 훈) = 敎(가르칠 교).

27. "□地, □室, 過□"에서 □안에 공통으로 들어갈 알맞은 한자는? (③)
①書 ②學 ③客 ④土
[설명] ◎客地(객지): 자기 집을 멀리 떠나 임시로 있는 곳. ◎客室(객실): 「1」 손님을 거처하게 하거나 접대할 수 있도록 정해 놓은 방. 「2」 열차, 배, 여관 따위에서 손님이 드는 칸이나 방. ◎過客(과객): 지나가는 나그네.

※ 어휘의 독음이 바른 것을 고르시오.

28. 反對 (④) ①반기 ②우대 ③박대 ④반대
[설명] ◎反對(반대): 「1」 두 사물이 모양, 위치, 방향, 순서 따위에서 등지거나 서로 맞섬. 또는 그런 상태. 「2」 어떤 행동이나 견해, 제안 따위에 따르지 아니하고 맞서 거스름.

29. 冰河 (①) ①빙하 ②영하 ③영가 ④빙가
[설명] ◎冰/氷河(빙하): 『지리』 수백수천 년 동안 쌓인 눈이 얼음덩어리로 변하여 그 자체의 무게로 압력을 받아 이동하는 현상. 또는 그 얼음덩어리. 중력에 따라 지형이 낮은 곳으로 서서히 이동한다. 남극 대륙이나 그린란드를 덮은 대륙 빙하와 알프스 산맥이나 히말라야 산맥처럼 폭이 좁은 리본 형태로 산 계곡을 흘러내리는 산악 빙하가 있다. 빙하의 상태는 기후의 장기적 변동을 추정하는 데 중요한 지표가 된다.

30. 定石 (③) ①화석 ②주석 ③정석 ④운석
[설명] ◎定石(정석): 「1」 사물의 처리에 정하여져 있는 일정한 방식. 「2」 『운동』 바둑에서, 예로부터 지금에 이르기까지 공격과 수비에 최선이라고 인정한 일정한 방식으로 돌을 놓는 법.

31. 自充 (④) ①목충 ②목통 ③자족 ④자충
[설명] ◎自充(자충): 바둑에서, 자기가 놓은 돌로 자기의 수를 줄이는 일.

32. 朝臣 (①) ①조신 ②월신 ③고구 ④조도
[설명] ◎朝臣(조신): 조정에서 벼슬살이를 하고 있는 신하.

33. 敬愛 (②) ①공경 ②경애 ③공애 ④경로
[설명] ◎敬愛(경애): 「1」 공경하고 사랑함. 「2」 『불교』 밀교에서, 불보살의 가호를 정하여 일가친척의 화평을 비는 수법.

34. 宿食 (②) ①주식 ②숙식 ③의식 ④수식
[설명] ◎宿食(숙식): 자고 먹음.

35. 郡內 (②) ①군대 ②군내 ③읍내 ④도읍
[설명] ◎郡內(군내): 군(郡)의 안. 또는 고을의 안.

※ 어휘의 뜻으로 알맞은 것을 고르시오.

36. 車道 (④)
①자동차, 기차, 전차 따위의 차량을 넣어 두는 곳.
②차를 타는 데에 드는 비용.
③자동차 도로에 그어 놓은 선.
④차가 다니도록 마련한 길.

37. 童心 (①)
①어린아이의 마음. ②어린이를 위한 시.
③마음을 움직임. ④마음을 같이함.

※ 낱말을 한자로 바르게 쓴 것을 고르시오.

38. 참석: 모임이나 회의 따위의 자리에 참여함. (③)
①參見 ②立席 ③參席 ④空席

39. 재회: 다시 만남. (②)
①社會 ②再會 ③才會 ④材會

※ 밑줄 친 어휘의 알맞은 독음을 고르시오.

40. 돈이 많다고 결코 <u>幸福</u>한 것은 아니다. (②)
①부유 ②행복 ③행운 ④재복
[설명] ◎幸福(행복): 「1」 복된 좋은 운수. 「2」 생활에서 충분한 만족과 기쁨을 느끼어 흐뭇함. 또는 그러한

상태.

41. 선생님께서는 다시 한 번 注意사항을 일러주셨다. (④)

①확인 ②주시 ③확신 ④주의

[설명] ◎注意(주의): 「1」 마음에 새겨 두고 조심함. 「2」 어떤 한 곳이나 일에 관심을 집중하여 기울임. 「3」 경고나 훈계의 뜻으로 일깨움. 「4」 『심리』 정신 기능을 높이기 위한 준비 자세. 유기체가 어떤 순간에 환경 내의 다른 것들을 배제하고 특정한 측면에만 집중할 수 있도록 하는 지각의 선택적 측면을 일반적으로 이르는 말이다.

42. 感氣 증세가 있어 일찍 귀가했다. (②)

①온기 ②감기 ③한기 ④냉기

[설명] ◎感氣(감기): 주로 바이러스로 말미암아 걸리는 호흡 계통의 병. 보통 코가 막히고 열이 나며 머리가 아프다.

※ 다음 면에 계속

※ 밑줄 친 부분을 한자로 바르게 쓴 것을 고르시오.

43. 내가 제일 잘하는 과목이 한문이다. (②)

①第日 ②第一 ③弟一 ④弟日

[설명] ◎第一(제일): 여럿 가운데서 첫째가는 것. 여럿 가운데 가장.

44. 예문을 들면 더 잘 이해할 것이다. (①)

①例文 ②禮文 ③禮問 ④例問

[설명] ◎例文(예문): 설명을 위한 본보기나 용례가 되는 문장.

※ 물음에 알맞은 답을 고르시오.

45. 어휘의 짜임이 다른 것은? (③)

①名曲 ②小兒 ③賣國 ④昨年

[설명] ◎名曲(명곡, 이름 명 · 굽을, 악곡 곡): 이름난 악곡. 또는 뛰어나게 잘된 악곡. ◎小兒(소아, 작을 소 · 아이 아): 어린아이. ◎昨年(작년, 어제 작 · 해 년): 지난해. 이상은 모두 앞에서 뒤를 꾸며주는 '수식관계'이다. ◎賣國(매국): 사사로운 이익을 위하여 나라의 주권이나 이권을 남의 나라에 팔아먹음. 이는 '~을(를) ~하다'로 해석되는 '술목관계'이다.

46. '先考'의 유의어는? (③)

①父母 ②母親 ③先親 ④祖父

[설명] ◎先考(선고)·先親(선친): 남에게 돌아가신 자기 아버지를 이르는 말.

47. '結果'의 반의어는? (①)

①原因 ②成果 ③結末 ④多元

[설명] ◎結果(결과): 「1」 열매를 맺음. 또는 그 열매. 「2」 어떤 원인으로 결말이 생김. 또는 그런 결말의 상태. 「3」 『철학』 내부적 의지나 동작의 표현이 되는 외부적 의지와 동작 및 그곳에서 생기는 영향이나 변화. ↔ ◎原因(원인): 어떤 사물이나 상태를 변화시키거나 일으키게 하는 근본이 된 일이나 사건.

48. "남의 말을 귀담아듣지 아니하고 지나쳐 흘려버림"을 뜻하는 '馬□東風'에서 □안에 들어갈 알맞은 한자는? (④)

①下 ②前 ③言 ④耳

[설명] ◎馬耳東風(마이동풍): 동풍이 말의 귀를 스쳐간다는 뜻으로, 남의 말을 귀담아듣지 아니하고 지나쳐 흘려버림을 이르는 말.

49. 孝을(를) 실천하기 위한 원칙으로 바르지 않은 것은? (④)

①몸을 소중히 여긴다.
②사회에 꼭 필요한 사람이 된다.
③바른 마음을 갖는다.
④비싼 선물만을 사 드린다.

50. 한자를 쓰는 순서가 잘못된 것은? (①)

①세로획을 먼저 쓰고, 가로획은 나중에 쓴다.
②글자 전체를 꿰뚫는 획은 맨 나중에 쓴다.
③왼쪽에서 오른쪽으로 쓴다.
④위에서 아래로 쓴다.

[설명] ◎가로획과 세로획이 교차 할 때에는 일반적으로 가로획을 먼저 쓴다.

♣ 수고하셨습니다.

모|범|답|안 3회

■ 다음 물음에 맞는 답의 번호를 골라 답안지의 해당 답란에 표시하시오.

※ 한자의 훈음으로 바른 것을 고르시오.

1. 仕 (②) ①자리 위 ②벼슬할 사 ③장인 공 ④수건 건
[설명] ◎位(자리 위), 工(장인 공), 巾(수건 건).

2. 朴 (④) ①학교 교 ②셀 계 ③법식 례 ④순박할 박
[설명] ◎校(학교 교), 計(셀 계), 例(법식 례).

3. 習 (②) ①구름 운 ②익힐 습 ③언덕 원 ④고기 육
[설명] ◎雲(구름 운), 原(언덕 원), 肉(고기 육).

4. 溫 (①) ①따뜻할 온 ②구할 요 ③써 이 ④한수 한
[설명] ◎要(구할 요), 以(써 이), 漢(한수 한).

5. 州 (②) ①살 주 ②고을 주 ③주인 주 ④대 죽
[설명] ◎住(살 주), 主(주인 주), 竹(대 죽).

6. 省 (④) ①눈 설 ②성씨 성 ③적을 소 ④살필 성
[설명] ◎雪(눈 설), 姓(성씨 성), 少(적을 소).

7. 運 (①) ①움직일 운 ②집 원 ③멀 원 ④귀신 신
[설명] ◎院(집 원), 遠(멀 원), 神(귀신 신).

8. 實 (③) ①꽃부리 영 ②나타날 현 ③열매 실 ④아침 조
[설명] ◎英(꽃부리 영), 現(나타날 현), 朝(아침 조).

9. 章 (④) ①살 활 ②모양 형 ③다행 행 ④글 장
[설명] ◎活(살 활), 形(모양 형), 幸(다행 행).

10. 勇 (②) ①기를 육 ②날쌜 용 ③이름 호 ④효도 효
[설명] ◎育(기를 육), 號(이름 호), 孝(효도 효).

※ 훈음에 맞는 한자를 고르시오.

11. 두 재 (④) ①市 ②軍 ③番 ④再
[설명] ◎市(저자 시), 軍(군사 군), 番(차례 번).

12. 능할 능 (②) ①每 ②能 ③臣 ④良
[설명] ◎每(매양 매), 臣(신하 신), 良(어질 량).

13. 인할 인 (③) ①今 ②夫 ③因 ④郡
[설명] ◎今(이제 금), 夫(지아비 부), 郡(고을 군).

14. 덕 덕 (①) ①德 ②雲 ③英 ④京
[설명] ◎雲(구름 운), 英(꽃부리 영), 京(서울 경).

15. 법 법 (①) ①法 ②東 ③思 ④急
[설명] ◎東(동녘 동), 思(생각 사), 急(급할 급).

16. 등급 급 (②) ①南 ②級 ③記 ④金
[설명] ◎南(남녘 남), 記(기록할 기), 金(쇠 금).

17. 그칠 지 (②) ①亡 ②止 ③立 ④足
[설명] ◎亡(망할 망), 立(설 립), 足(발 족).

18. 고기잡을 어 (④) ①史 ②理 ③魚 ④漁
[설명] ◎史(역사 사), 理(다스릴 리), 魚(물고기 어),

19. 길할 길 (④) ①短 ②明 ③身 ④吉
[설명] ◎短(짧을 단), 明(밝을 명), 身(몸 신).

20. 지경 계 (③) ①李 ②內 ③界 ④刀
[설명] ◎李(오얏 리), 內(안 내), 刀(칼 도).

※ 물음에 알맞은 답을 고르시오.

21. "나무의 위쪽에 한 일의 부호를 그려서, 그 나무의 위쪽" 곧 '나무 끝'을 나타내는 한자는? (①)
①末 ②本 ③果 ④木
[설명] ◎末(끝 말).

22. 한자와 부수의 연결이 바르지 않은 것은?(④)
①相-目 ②美-羊 ③以-人 ④要-女
[설명] ◎要(구할 요)의 부수는 襾(덮을 아).

23. "人力車"에서 밑줄 친 '車'의 훈음으로 바른 것은? (①)
①수레 거 ②수레 차 ③수레 가 ④차 차
[설명] ◎車(거·차): 수레, 수레바퀴, 수레를 모는 사람, 이틀(이가 박혀 있는 위턱 아래턱의 구멍이 뚫린 뼈), 치은(齒齦: 잇몸) (거,차) / 장기(將棋·將碁)의 말(차). ◎人力車(인력거): 사람이 끄는, 바퀴가 두 개 달린 수레. 주로 사람을 태운다.

24. '秋'을(를) 자전에서 찾을 때의 방법으로 바르지 않은 것은? (③)
①부수를 찾을 때는 '禾'부수 4획에서 찾는다.
②자음으로 찾을 때는 '추'음에서 찾는다.
③부수로 찾을 때는 '火'부수 5획에서 찾는다.
④총획으로 찾을 때는 '9획'에서 찾는다.
[설명] ◎秋(가을 추): 禾(벼 화, 5획)부수의 4획, 총9획.

25. 유의자의 연결이 바르지 않은 것은? (①)

①第=一 ②衣=服 ③算=數 ④貴=重

[설명] ◎第(차례 제), 一(한 일).

26. '勞'의 반의자는? (④)

①會 ②分 ③祖 ④使

[설명] ◎勞(수고로울, 일할 로) ↔ 使(하여금, 부릴 사).

27. "參□, □速, □入"에서 □안에 공통으로 들어갈 알맞은 한자는? (①)

①加 ②可 ③永 ④右

[설명] ◎參加(참가): 「1」 모임이나 단체 또는 일에 관계하여 들어감. 「2」 『법률』 어떤 법률관계에 당사자 이외의 제삼자가 관여함. ◎加速(가속): 점점 속도를 더함. 또는 그 속도. ◎加入(가입): 「1」 조직이나 단체 따위에 들어감. 「2」 새로 더 집어넣음. 「3」 『법률』 조약문의 인증 절차 없이, 그 조약에 드는 행위. 의사 표시만으로 당사자가 될 수 있게 하여 법 공동체를 확대하려는 데 목적이 있다.

※ 어휘의 독음이 바른 것을 고르시오.

28. 反感 (①) ①반감 ②반심 ③우감 ④우심

[설명] ◎反感(반감): 반대하거나 반항하는 감정.

29. 出血 (③) ①산혈 ②적혈 ③출혈 ④출구

[설명] ◎出血(출혈): 「1」 피가 혈관 밖으로 나옴. 「2」 희생이나 손실을 비유적으로 이르는 말.

30. 充當 (①) ①충당 ②통장 ③충원 ④형부

[설명] ◎充當(충당): 모자라는 것을 채워 메움.

31. 國旗 (③) ①국가 ②국족 ③국기 ④게양

[설명] ◎國旗(국기): 일정한 형식을 통하여 한 나라의 역사, 국민성, 이상 따위를 상징하도록 정한 기(旗). 우리나라의 태극기, 미국의 성조기, 일본의 일장기 따위이다.

32. 敬禮 (④) ①공구 ②공경 ③경애 ④경례

[설명] ◎敬禮(경례):[Ⅰ]「명사」 공경의 뜻을 나타내기 위하여 인사하는 일. [Ⅱ]「감탄사」 『군사』 상급자나 국기 등에 경의를 표하라는 구령. 고개를 숙이거나 오른손을 펴서 이마 오른쪽 옆 또는 가슴에 댄다.

33. 對答 (②) ①대화 ②대답 ③정답 ④문답

[설명] ◎對答(대답): 「1」 부르는 말에 응하여 어떤 말을 함. 또는 그 말. 「2」 상대가 묻거나 요구하는 것에 대하여 해답이나 제 뜻을 말함. 또는 그런 말. 「3」 어떤 문제나 현상을 해명하거나 해결하는 방안.

34. 病室 (①) ①병실 ②병동 ③병원 ④의술

[설명] ◎病室(병실): 병을 치료하기 위하여 환자가 거처하는 방.

35. 根性 (②) ①근본 ②근성 ③목생 ④목근

[설명] ◎根性(근성): 「1」 태어날 때부터 지니고 있는 근본적인 성질. 「2」 뿌리가 깊게 박힌 성질.

※ 어휘의 뜻으로 알맞은 것을 고르시오.

36. 活路 (③)

①오래된 길. ②사람이 다니는 길.
③살아 나갈 길. ④산책로.

[설명] ◎活(살 활), 路(길 로).

37. 名醫 (②)

①이름난 병원. ②이름난 의원이나 의사.
③특효약. ④역사가 오래된 병원.

[설명] ◎名(이름 명), 醫(의원 의).

※ 낱말을 한자로 바르게 쓴 것을 고르시오.

38. 정원: 잘 가꾸어 놓은 넓은 뜰. (④)

①庭院 ②庭原 ③定園 ④庭園

39. 애독: 즐겨 읽음. (④)

①樂讀 ②讀音 ③愛文 ④愛讀

※ 밑줄 친 어휘의 알맞은 독음을 고르시오.

40. 포옹은 <u>西洋式</u> 인사이다. (③)

①서양무 ②주양식 ③서양식 ④서구식

[설명] ◎西洋式(서양식): 서양의 양식이나 격식.

41. 운전면허 시험에 어렵게 <u>合格</u>하였다. (④)

①불참 ②낙제 ③참가 ④합격

[설명] ◎合格(합격): 「1」 시험, 검사, 심사 따위에서 일정한 조건을 갖추어 어떠한 자격이나 지위 따위를 얻음. 「2」 어떤 조건이나 격식에 맞음.

42. 회사가 파산하여 <u>失業者</u>가 됐다. (③)

①실무자 ②부랑자 ③실업자 ④자선가

[설명] ◎失業者(실업자): 경제 활동에 참여할 연령의 사람 가운데 직업이 없는 사람.

※ 다음 면에 계속

※ 밑줄 친 부분을 한자로 바르게 쓴 것을 고르시오.

43. 철조망에 고압 <u>전류</u>가 흐르고 있었다. (②)

①電氣 ②電流 ③油田 ④氣流

[설명] ◎電流(전류): 전하가 연속적으로 이동하는 현상.

도체 내부의 전위가 높은 곳에서 낮은 곳으로 흐르며 이는 양전기가 흐르는 방향이다. 크기는 단위 시간당 통과하는 전기량으로 표시한다. 단위는 암페어(A).

44. 물건을 사용하기 전에 주의 사항을 잘 읽어야 한다. (②)

①主意 ②注意 ③住衣 ④注衣

[설명] ◎注意(주의): 「1」 마음에 새겨 두고 조심함. 「2」 어떤 한 곳이나 일에 관심을 집중하여 기울임. 「3」 경고나 훈계의 뜻으로 일깨움. 「4」 『심리』 정신 기능을 높이기 위한 준비 자세. 유기체가 어떤 순간에 환경 내의 다른 것들을 배제하고 특정한 측면에만 집중할 수 있도록 하는 지각의 선택적 측면을 일반적으로 이르는 말이다.

※ 물음에 알맞은 답을 고르시오.

45. '成功'와(과) 같이 술목구조로 이루어진 것은? (③)

①良心 ②白雪 ③洗手 ④青天

[설명] ◎成功(성공, 이룰 성·공 공): 목적하는 바를 이룸. ◎洗手(세수, 씻을 세·손 수): 손이나 얼굴을 씻음. 이상은 '~을 ~하다'로 풀이되는 '술목관계'이다. ◎良心(양심, 어질 량·마음 심): 사물의 가치를 변별하고 자기의 행위에 대하여 옳고 그름과 선과 악의 판단을 내리는 도덕적 의식. ◎白雪(백설, 흰 백·눈 설): 하얀 눈. ◎青天(청천, 푸를 청·하늘 천): 푸른 하늘. 이상은 모두 앞 글자가 뒤 글자를 꾸며주는 '수식관계'이다.

46. '昨年'의 유의어는? (③)

①今日 ②來年 ③去年 ④明年

[설명] ◎昨年(작년)·去年(거년): 지난해.

47. 반의어의 연결이 바르지 않은 것은? (④)

①登山↔下山 ②年末↔年初
③動物↔植物 ④同窓↔同門

[설명] ◎同窓(동창): 같은 학교에서 공부를 한 사이. = ◎同門(동문): 「1」 같은 문. 「2」 같은 학교에서 수학하였거나 같은 스승에게서 배운 사람. 「3」 같은 문중이나 종파.

48. "아주 다행함"을 이르는 '千□多幸'에서 □안에 들어갈 알맞은 한자는? (③)

①百 ②億 ③萬 ④十

[설명] ◎千萬多幸(천만다행): 아주 다행함.

49. '孝'에 관한 설명으로 바르지 않은 것은? (②)

①부모님과 대화의 시간을 자주 갖는다.
②부모님께는 화려하고 값비싼 선물만 드린다.
③부모님을 정신적으로 편안하고 기쁘게 해 드린다.
④부모님의 뜻을 잘 받든다.

50. 우리 고유의 민속 명절이 아닌 것은? (③)

①단오절 ②설날 ③제헌절 ④중추절

[설명] ◎제헌절: 우리나라의 헌법을 제정·공포한 것을 기념하기 위하여 제정한 국경일. 7월 17일이다.

♣ 수고하셨습니다.

모|범|답|안 4회

■ 다음 물음에 맞는 답의 번호를 골라 답안지의 해당 답란에 표시하시오.

※ 한자의 훈음으로 바른 것을 고르시오.

1. 億 (③) ①믿을 신 ②특별할 특 ③억 억 ④살 활

[설명] ◎信(믿을 신), 特(특별할 특), 活(살 활).

2. 冰 (①) ①얼음 빙 ②올 래 ③물 수 ④길 영

[설명] ◎來(올 래), 水(물 수), 永(길 영).

3. 待 (②) ①싸움 전 ②기다릴 대 ③이로울 리 ④번개 전

[설명] ◎戰(싸움 전), 利(이로울 리), 電(번개 전).

4. 參 (②) ①마당 장 ②참여할 참 ③자리 위 ④있을 유

[설명] ◎場(마당 장), 位(자리 위), 有(있을 유).

5. 第 (③) ①정할 정 ②아우 제 ③차례 제 ④순할 순

[설명] ◎定(정할 정), 弟(아우 제), 順(순할 순).

6. 果 (④) ①열매 실 ②나무 목 ③빛 광 ④과실 과

[설명] ◎實(열매 실), 木(나무 목), 光(빛 광).

7. 歷 (①) ①지낼 력 ②셀 계 ③읽을 독 ④집 당

[설명] ◎計(셀 계), 讀(읽을 독), 堂(집 당).

8. 號 (④) ①만 형 ②그림 화 ③화할 화 ④이름 호

[설명] ◎兄(만 형), 畫(그림 화), 和(화할 화).

9. 然 (④) ①바다 해 ②언덕 원 ③불 화 ④그럴 연

[설명] ◎海(바다 해), 原(언덕 원), 火(불 화).

10. 角 (③) ①날쌜 용 ②각각 각 ③뿔 각 ④서울 경

[설명] ◎勇(날쌜 용), 各(각각 각), 京(서울 경).

※ 훈음에 맞는 한자를 고르시오.

11. 창문 창 (③) ①集 ②刀 ③窓 ④命

[설명] ◎集(모일 집), 刀(칼 도), 命(목숨 명).

12. 법 전 (①) ①典 ②朝 ③祖 ④左

[설명] ◎朝(아침 조), 祖(할아비 조), 左(왼 좌).

13. 뿌리 근 (④) ①村 ②才 ③交 ④根

[설명] ◎村(마을 촌), 才(재주 재), 交(사귈 교).

14. 하여금 사 (④) ①宿 ②旗 ③社 ④使

[설명] ◎宿(잠잘 숙), 旗(기 기), 社(모일 사).

15. 군사 병 (①) ①兵 ②別 ③每 ④放

[설명] ◎別(다를 별), 每(매양 매), 放(놓을 방).

16. 눈 설 (④) ①度 ②足 ③住 ④雪

[설명] ◎度(법도 도), 足(발 족), 住(살 주).

17. 푸를 록 (③) ①林 ②心 ③綠 ④外

[설명] ◎林(수풀 림), 心(마음 심), 外(바깥 외).

18. 망할 망 (②) ①寸 ②亡 ③元 ④七

[설명] ◎寸(마디 촌), 元(으뜸 원), 七(일곱 칠).

19. 살필 성 (④) ①消 ②所 ③數 ④省

[설명] ◎消(사라질 소), 所(바 소), 數(셈 수).

20. 공 구 (④) ①夏 ②貝 ③血 ④球

[설명] ◎夏(여름 하), 貝(조개 패), 血(피 혈).

※ 물음에 알맞은 답을 고르시오.

21. "옳고 진실한 마음을 갖는 행위"라는 데서 '덕'의 뜻을 가진 한자는? (④)

①先 ②直 ③意 ④德

[설명] ◎德(덕 덕).

22. 어휘의 독음이 바르지 <u>않은</u> 것은? (④)

①科落(과락) ②新聞(신문)
③醫院(의원) ④功勞(공노)

[설명] ◎功勞(공로, 공 공·수고로울 로): 일을 마치거나 목적을 이루는 데 들인 노력과 수고. 또는 일을 마치거나 그 목적을 이룬 결과로서의 공적.

23. "<u>卒</u>業은 또 다른 시작이다"에서 밑줄 친 '卒'의 훈음으로 알맞은 것은? (①)

①마칠 졸 ②하인 졸 ③죽을 졸 ④군사 졸

[설명] ◎卒(졸·쉬): 마칠, 죽을, 끝낼, 모두, 죄다, 갑자기, 별안간, 돌연히, 마침내, 드디어, 기어이, 무리, 집단, 백 사람, 군사, 병졸, 하인, 심부름꾼, 나라, 마을(졸) / 버금 (쉬). ◎卒業(졸업): 「1」 학생이 규정에 따라 소정의 교과 과정을 마침. 「2」 어떤 일이나 기술, 학문 따위에 통달하여 익숙해짐.

24. '李'을(를) 자전에서 찾을 때의 방법으로 바르지 <u>않은</u> 것은? (④)

①총획으로 찾을 때는 '7획'에서 찾는다.
②부수로 찾을 때는 '木'부수 3획에서 찾는다.

③자음으로 찾을 때는 '리'음에서 찾는다.
④부수로 찾을 때는 '子'부수 4획에서 찾는다.

[설명] ◎李(오얏 리): 木(나무 목, 4획)부수의 3획, 총7획.

25. '吉'의 반의자는? (②)
①書 ②凶 ③近 ④道

[설명] ◎吉(길할 길) ↔ 凶(흉할 흉).

26. '洞'의 유의자는? (④)
①冬 ②席 ③衣 ④里

[설명] ◎洞(고을 동) = 里(마을 리).

27. "文□, 古□, 漢□"에서 □안에 공통으로 들어갈 알맞은 한자는? (①)
①字 ②犬 ③末 ④毛

[설명] ◎文字(문자):「1」『언어』인간의 의사소통을 위한 시각적인 기호 체계. 한자 따위의 표의 문자와 로마자, 한글 따위의 표음 문자로 대별된다.「2」학식이나 학문을 비유적으로 이르는 말.「3」『수학』수, 양, 도형 따위의 여러 가지 대상을 나타내기 위하여 쓰는 숫자 밖의 글자.「4」『컴퓨터』키보드를 눌러서 화면에 나타낼 수 있는 한글, 알파벳, 한자, 숫자, 구두점 따위를 통틀어 이르는 말. ◎古字(고자):「1」지금은 쓰지 아니하는 옛 글자. 한글의 경우, 'ㆍ', 'ㆁ', 'ㆆ', 'ㅿ', 'ㅸ' 따위가 있다.「2」오늘날 쓰는 글자와 모양은 같으나 포함하는 의미 범위는 더 넓었던, 고대에 쓰던 글자. 한자의 경우, '太(태)', '境(경)', '供(공)' 자의 고자는 각각 '大(대)', '竟(경)', '共(공)' 자이다. ◎漢字(한자): 중국에서 만들어 오늘날에도 쓰고 있는 문자. 은허에서 출토된 기원전 15세기경의 갑골 문자가 현존하는 가장 오래된 것이며, 현재 알려져 있는 글자 수는 약 5만에 이르는데 실제로 쓰이는 것은 5,000자 정도이다.

※ 어휘의 독음이 바른 것을 고르시오.

28. 現在 (③) ①구존 ②현존 ③현재 ④구재

[설명] ◎現在(현재):「1」지금의 시간.「2」(때를 나타내는 말 다음에 쓰여) 기준으로 삼은 그 시점.「3」『불교』현세(現世).「4」『언어』동작이나 상태가 지금 행하여지고 있거나 지속됨을 나타내는 시제. 동사의 경우 기본형에 선어말 어미 '-ㄴ/는'을 넣어서 나타내며, 형용사나 서술격 조사 '이다'는 그냥 기본형으로 나타낸다. 보편적인 진리나 습관을 나타낼 때도 현재 시제를 쓴다.

29. 英語 (④) ①영오 ②영문 ③영언 ④영어

[설명] ◎英語(영어): 인도·유럽 어족 게르만 어파의 서게르만 어군에 속한 언어. 미국, 영국, 캐나다, 오스트레일리아 등을 비롯하여 세계 여러 나라에서 사용하는 국제어의 구실을 하고 있다.

30. 苦樂 (④) ①구락 ②구악 ③고악 ④고락

[설명] ◎苦樂(고락): 괴로움과 즐거움을 아울러 이르는 말.

31. 明答 (①) ①명답 ②명가 ③명문 ④명화

[설명] ◎明答(명답): 분명하게 대답함. 또는 그런 대답.

32. 郡邑 (①) ①군읍 ②도읍 ③군색 ④도색

[설명] ◎郡邑(군읍):「1」군과 읍을 아울러 이르는 말.「2」『역사』지방 제도인 주(州), 부(府), 군(郡), 현(縣) 따위를 통틀어 이르던 말.

33. 理由 (①) ①이유 ②리유 ③이자 ④니유

[설명] ◎理由(이유):「1」어떠한 결론이나 결과에 이른 까닭이나 근거.「2」구실이나 변명.「3」『철학』존재의 기초가 되거나 어떤 사상이 진리라고 할 수 있는 조건. 좁은 의미로는 결론에 대한 전제나 결과에 대한 원인을 이른다.

34. 急流 (③) ①급유 ②보류 ③급류 ④감유

[설명] ◎急流(급류):「1」물이 빠른 속도로 흐름. 또는 그 물.「2」어떤 현상이나 사회의 급작스러운 변화를 비유적으로 이르는 말.

35. 必死 (③) ①심화 ②심사 ③필사 ④필화

[설명] ◎必死(필사):「1」반드시 죽음. 또는 살 가망이 없음.「2」죽을힘을 다함.

※ 어휘의 뜻으로 알맞은 것을 고르시오.

36. 責任 (③)
①일정한 지위나 임무를 남에게 맡김.
②목적을 가지고 주장함.
③맡아서 해야 할 임무나 의무.
④잘못을 캐묻고 꾸짖음.

37. 發賣 (③)
①집안의 가장 연장자. ②집에서 부리는 하인.
③상품을 내어 팔기 시작함. ④못 팔게 함.

※ 낱말을 한자로 바르게 쓴 것을 고르시오.

38. 경애: 공경하고 사랑함. (④)
①敬老 ②公敬 ③愛公 ④敬愛

39. 장고: 오랫동안 깊이 생각함. (②)
①場告 ②長考 ③長高 ④場考

※ 밑줄 친 어휘의 알맞은 독음을 고르시오.

모|범|답|안 4회

40. 그의 행동이 例事롭지 않다. (①)
①예사 ②사례 ③예절 ④례사
[설명] ◎例事(예사): 보통 있는 일.

41. 아기의 출산과 育兒을(를) 돕다. (②)
①교양 ②육아 ③교육 ④육성
[설명] ◎育兒(육아): 어린아이를 기름.

42. 形式에 얽매이지 말고 자유롭게 표현하시오. (①)
①형식 ②구식 ③모양 ④형태
[설명] ◎形式(형식): 「1」 사물이 외부로 나타나 보이는 모양. 「2」 일을 할 때의 일정한 절차나 양식 또는 한 무리의 사물을 특징짓는 데에 공통적으로 갖춘 모양. 「3」 『철학』 다양한 요소를 총괄하는 통일 원리. 사물의 본질을 이루는 것으로 해석된다. 「4」 『철학』 시간, 공간, 범주(範疇) 따위와 같이 사상(事象)을 성립하게 하는 선험적인 조건. 「5」 『철학』 개개의 논증이 지니고 있는 그 논증을 타당하게 하는 논리적 구조.

※ 다음 면에 계속

※ 밑줄 친 부분을 한자로 바르게 쓴 것을 고르시오.

43. 이 동시를 낭랑한 목소리로 읽어보세요. (④)
①童時 ②動時 ③動詩 ④童詩
[설명] ◎童詩(동시): 「1」 주로 어린이를 독자로 예상하고 어린이의 정서를 읊은 시. 「2」 어린이가 지은 시.

44. 나는 커서 신문이나 잡지 등에 실을 기사를 취재하여 쓰는 기자가 되고 싶다. (③)
①己者 ②記子 ③記者 ④病者
[설명] ◎記者(기자): 「1」 신문, 잡지, 방송 따위에 실을 기사를 취재하여 쓰거나 편집하는 사람. 「2」 문서의 초안을 잡는 사람.

※ 물음에 알맞은 답을 고르시오.

45. 어휘의 짜임이 '수식관계(앞글자가 뒷글자를 꾸며 줌)'가 아닌 것은? (④)
①國土 ②勝因 ③千金 ④樹木
[설명] ◎國土(국토): 나라의 땅. 한 나라의 통치권이 미치는 지역을 이른다. ◎勝因(승인): 승리의 원인. ◎千金(천금): 「1」 많은 돈이나 비싼 값을 비유적으로 이르는 말. 「2」 아주 귀중한 것을 비유적으로 이르는 말. 이상은 모두 '수식관계'이다. ◎樹木(수목): 살아 있는 나무. 이는 '유사병렬관계'이다.

46. '平等'의 유의어는? (③)
①高等 ②共同 ③同等 ④一等
[설명] ◎平等(평등): 권리, 의무, 자격 등이 차별 없이 고르고 한결같음. = ◎同等(동등): 등급이나 정도가 같음. 또는 그런 등급이나 정도.

47. 반의어의 연결이 바르지 않은 것은? (③)
①前半↔後半 ②以北↔以南
③落陽↔夕陽 ④幸福↔不幸
[설명] ◎落陽(낙양)·夕陽(석양): 저녁때의 햇빛. 또는 저녁때의 저무는 해.

48. "門前成市"의 속뜻으로 알맞은 것은? (③)
①문 앞에 시장이 있다. ②집 앞이 번화가이다.
③문 앞이 방문객으로 저자를 이루다시피 함.
④묻는 말에 당치도 않는 엉뚱한 대답을 함.
[설명] ◎門前成市(문전성시): 찾아오는 사람이 많아 집 문 앞이 시장을 이루다시피 함을 이르는 말.

49. '禮'에 관한 설명 중 '아홉가지 생각(九思)'으로 바르지 못한 것은? (①)
①의심나는 것이 있어도 그냥 지나치고 다른 것을 생각한다.
②말을 할 때에는 참되고 정직하기를 생각한다.
③용모는 반드시 공손하기를 생각한다.
④일은 공경하여 최선을 다할 것을 생각한다.

50. 한자의 필순에 대한 설명으로 바른 것은?(②)
①한자는 아래에서 위로 쓴다.
②廴, 辶은 가장 나중에 쓴다.
③좌우대칭의 경우에는 가운데를 맨 나중에 쓴다.
④오른쪽에서 왼쪽으로 쓴다.
[설명] ◎좌우대칭의 경우에는 가운데를 먼저 쓴다.

♣ 수고하셨습니다.

*準四級漢字

실전대비문제

모|범|답|안 5회

■ 다음 물음에 맞는 답의 번호를 골라 답안지의 해당 답란에 표시하시오.

※ 한자의 훈음으로 바른 것을 고르시오.

1. 史 (④) ①클 태 ②벗 우 ③걸음 보 ④역사 사

[설명] ◎太(클 태), 友(벗 우), 步(걸음 보).

2. 賣 (③) ①다행 행 ②살 매 ③팔 매 ④머리 수

[설명] ◎幸(다행 행), 買(살 매), 首(머리 수).

3. 雲 (④) ①여름 하 ②누를 황 ③일만 만 ④구름 운

[설명] ◎夏(여름 하), 黃(누를 황), 萬(일만 만).

4. 知 (④) ①물건 품 ②괴로울 고 ③살 활 ④알 지

[설명] ◎品(물건 품), 苦(괴로울 고), 活(살 활).

5. 飮 (①) ①마실 음 ②가르칠 교 ③오를 등 ④은 은

[설명] ◎敎(가르칠 교), 登(오를 등), 銀(은 은).

6. 展 (①) ①펼 전 ②차례 제 ③들을 문 ④병 병

[설명] ◎第(차례 제), 聞(들을 문), 病(병 병).

7. 陽 (③) ①다스릴 리 ②집 원 ③볕 양 ④마당 장

[설명] ◎理(다스릴 리), 院(집 원), 場(마당 장).

8. 任 (③) ①지을 작 ②될 화 ③맡길 임 ④대 죽

[설명] ◎作(지을 작), 化(될 화), 竹(대 죽).

9. 遠 (①) ①멀 원 ②빠를 속 ③가까울 근 ④움직일 운

[설명] ◎速(빠를 속), 近(가까울 근), 運(움직일 운).

10. 淸 (②) ①고기잡을 어 ②맑을 청 ③한수 한 ④법 법

[설명] ◎漁(고기잡을 어), 漢(한수 한), 法(법 법).

※ 훈음에 맞는 한자를 고르시오.

11. 움직일 동 (③) ①韓 ②郡 ③動 ④敬

[설명] ◎韓(나라이름 한), 郡(고을 군), 敬(공경할 경).

12. 과실 과 (②) ①事 ②果 ③米 ④科

[설명] ◎事(일 사), 米(쌀 미), 科(과목 과).

13. 더할 가 (①) ①加 ②記 ③外 ④話

[설명] ◎記(기록할 기), 外(바깥 외), 話(말씀 화).

14. 이길 승 (④) ①詩 ②頭 ③旗 ④勝

[설명] ◎詩(글 시), 頭(머리 두), 旗(기 기).

15. 복 복 (④) ①等 ②計 ③强 ④福

[설명] ◎等(무리 등), 計(셀 계), 强(강할 강).

16. 손님 객 (③) ①答 ②開 ③客 ④用

[설명] ◎答(대답 답), 開(열 개), 用(쓸 용).

17. 사라질 소 (②) ①海 ②消 ③祖 ④失

[설명] ◎海(바다 해), 祖(할아비 조), 失(잃을 실).

18. 붉을 적 (②) ①字 ②赤 ③交 ④亡

[설명] ◎字(글자 자), 交(사귈 교), 亡(망할 망).

19. 나타날 현 (①) ①現 ②貝 ③讀 ④身

[설명] ◎貝(조개 패), 讀(읽을 독), 身(몸 신).

20. 옳을 가 (①) ①可 ②夕 ③寸 ④元

[설명] ◎夕(저녁 석), 寸(마디 촌), 元(으뜸 원).

※ 물음에 알맞은 답을 고르시오.

21. "사람과 말씀이 합쳐진 자로 사람이 하는 말에는 믿음성이 있어야 한다"는 뜻으로 만들어진 한자는? (②)

①住 ②信 ③言 ④語

[설명] ◎信(믿을 신).

22. 어휘의 독음이 바르지 <u>않은</u> 것은? (④)

①所在(소재) ②直後(직후)
③的中(적중) ④同窓(동공)

[설명] ◎同窓(동창, 한가지 동·창문 창): 「1」 같은 학교에서 공부를 한 사이. 「2」 동창생.

23. 밑줄 친 '樂'의 독음이 <u>다른</u> 것은? (①)

①<u>樂</u>山 ②農<u>樂</u> ③音<u>樂</u> ④風<u>樂</u>

[설명] ◎樂(낙(락)·악·요): 즐길, 즐거워할, 즐겁게 할, 즐거움 낙(락) / 노래, 풍류, 아뢸, 연주할 (악) / 좋아할 (요). ◎農樂(농악): 풍물놀이. ◎音樂(음악): 박자, 가락, 음성 따위를 갖가지 형식으로 조화하고 결합하여, 목소리나 악기를 통하여 사상 또는 감정을 나타내는 예술. ◎風樂(풍악): 예로부터 전해 오는 우리나라 고유의 음악. 주로 기악을 이른다. 이상은 '樂'의 음이 '악'이다. ◎樂山(요산): 산을 좋아함. 이는 '樂'의 음이 '요'이다.

24. '醫'을(를) 자전에서 찾을 때의 방법으로 바르지 <u>않은</u> 것은? (④)

모|범|답|안 5회

①자음으로 찾을 때는 '의'음에서 찾는다.
②부수로 찾을 때는 '酉'부수 11획에서 찾는다.
③총획으로 찾을 때는 '18획'에서 찾는다.
④부수로 찾을 때는 '殳'부수 14획에서 찾는다.

[설명] ◎醫(의원 의): 酉(닭 유, 7획)부수의 11획, 총18획.

25. 유의자의 연결이 바르지 않은 것은? (②)
①結=合 ②各=格 ③貴=重 ④江=河

[설명] ◎各(각각 각), 格(격식 격).

26. '昨'의 반의자는? (①)
①今 ②日 ③明 ④朝

[설명] ◎昨(어제 작) ↔ 今(이제 금).

27. "家□, 校□, □短"에서 □안에 공통으로 들어갈 알맞은 한자는? (③)
①習 ②黑 ③長 ④大

[설명] ◎家長(가장):「1」한 가정을 이끌어 나가는 사람.「2」'남편'을 달리 이르는 말. ◎校長(교장): 대학이나 학원을 제외한 각급 학교의 으뜸 직위. 또는 그 직위에 있는 사람. ◎長短(장단):「1」길고 짧음.「2」장단점.

※ 어휘의 독음이 바른 것을 고르시오.

28. 反省 (③) ①판성 ②판정 ③반성 ④반생

[설명] ◎反省(반성): 자신의 언행에 대하여 잘못이나 부족함이 없는지 돌이켜 봄.

29. 通例 (②) ①통예 ②통례 ③도예 ④도례

[설명] ◎通例(통례): 일반적으로 통하여 쓰는 전례.

30. 初章 (②) ①시장 ②초장 ③시구 ④초구

[설명] ◎初章(초장):「1」가곡 따위의 첫째 장.「2」『문학』세 개의 장으로 나누어진 악곡이나 시조의 첫째 장.「3」『문학』한문 시구의 운(韻)을 맞추는 놀이인 초중종(初中終)에서, 정한 글자가 맨 처음에 오는 시구.

31. 奉仕 (①) ①봉사 ②명사 ③봉임 ④부사

[설명] ◎奉仕(봉사): 국가나 사회 또는 남을 위하여 자신을 돌보지 아니하고 힘을 바쳐 애씀.

32. 告別 (④) ①특별 ②차별 ③유별 ④고별

[설명] ◎告別(고별):「1」같이 있던 사람과 헤어지면서 작별을 알림.「2」장례 때에 죽은 사람에게 이별을 알림.

33. 四角 (④) ①서각 ②서기 ③사방 ④사각

[설명] ◎四角(사각):「1」네 개의 각.「2」네 개의 각이 있는 모양.「3」『수학』사각형.

34. 文集 (②) ①교집 ②문집 ③문단 ④교휴

[설명] ◎文集(문집): 시나 문장을 모아 엮은 책.

35. 植樹 (④) ①직수 ②식재 ③직재 ④식수

[설명] ◎植樹(식수): 나무를 심음. 또는 심은 나무.

※ 어휘의 뜻으로 알맞은 것을 고르시오.

36. 卒業 (②)
①지위가 낮은 병사.
②학교에서 교과 과정을 마침.
③군사의 일. ④군대의 모든 작업.

37. 良民 (③)
①나라의 공무를 맡아보는 사람.
②외국에 이민간 사람.
③선량한 국민. ④백성에게 잘해줌.

※ 낱말을 한자로 바르게 쓴 것을 고르시오.

38. 전사: 전쟁터에서 적과 싸우다 죽음. (③)
①電士 ②電死 ③戰死 ④戰士

39. 재능: 재주와 능력. (②)
①木材 ②才能 ③材能 ④能力

※ 밑줄 친 어휘의 알맞은 독음을 고르시오.

40. 우리 집 <u>庭園</u>에 온갖 예쁜 꽃들이 만발했다. (③)
①마당 ②가정 ③정원 ④화단

[설명] ◎庭園(정원): 집 안에 있는 뜰이나 꽃밭.

41. 대립하던 둘 사이에 또 다시 <u>流血</u> 충돌이 벌어졌다. (③)
①무력 ②집단 ③유혈 ④의견

[설명] ◎流血(유혈): 피를 흘림. 또는 흘러나오는 피.

42. 전쟁이 아닌 <u>平和</u>적인 방법을 모색해야 한다. (④)
①대화 ②민주 ③온화 ④평화

[설명] ◎平和(평화):「1」평온하고 화목함.「2」전쟁, 분쟁 또는 일체의 갈등이 없이 평온함. 또는 그런 상태.

※ 다음 면에 계속

※ 밑줄 친 부분을 한자로 바르게 쓴 것을 고르시오.

43. 우리는 선생님과 함께 역사적 <u>유래</u>가 있는 고궁이

나 사찰을 견학하기로 하였다. (①)

①由來 ②有來 ③油來 ④田來

[설명] ◎由來(유래): 사물이나 일이 생겨남. 또는 그 사물이나 일이 생겨난 바.

44. 새로운 버스 노선이 생겼다. (①)

①路線 ②老洗 ③路洗 ④老線

[설명] ◎路線(노선):「1」자동차 선로, 철도 선로 따위와 같이 일정한 두 지점을 정기적으로 오가는 교통선.「2」개인이나 조직 따위가 일정한 목표를 실현하기 위하여 지향하여 나가는 견해의 방향이나 행동 방침.

※ 물음에 알맞은 답을 고르시오.

45. 어휘의 짜임이 '수식관계(앞글자가 뒷글자를 꾸며줌)'가 아닌 것은? (④)

①年始 ②感度 ③春雪 ④問責

[설명] ◎年始(연시, 해 년·처음 시): 설. 새해의 처음. ◎感度(감도, 느낄 감·정도 도):「1」외부의 자극이나 작용에 대하여 반응하는 정도.「2」수신기나 측정기 따위가 전파나 소리를 받는 정도.「3」필름이나 인화지가 빛을 느끼는 정도. ◎春雪(춘설, 봄 춘·눈 설): 봄눈. 이상은 모두 앞 글자가 뒤 글자를 꾸며주는 '수식관계'이다. ◎問責(문책, 물을 문·꾸짖을 책): 잘못을 캐묻고 꾸짖음. 이는 앞 글자와 뒤 글자가 서로 대등한 '병렬관계'이다.

46. '便安'의 반의어는? (③)

①安全 ②便利 ③不便 ④不利

[설명] ◎便安(편안): 편하고 걱정 없이 좋음. ↔ ◎不便(불편):「1」어떤 것을 사용하거나 이용하는 것이 거북하거나 괴로움.「2」몸이나 마음이 편하지 아니하고 괴로움.「3」다른 사람과의 관계 따위가 편하지 않음.

47. 유의어의 연결이 바르지 않은 것은? (④)

①先考=先親 ②空席=空位

③國號=國名 ④古參=新參

[설명] ◎古參(고참): 오래전부터 한 직위나 직장 따위에 머물러 있는 사람. ↔ ◎新參(신참): 단체나 부류에 새로 참가하거나 들어옴. 또는 그런 사람.

48. "不問曲直"의 속뜻으로 알맞는 것은? (③)

①묻지 않아도 알 수 있음.

②다시 말할 필요가 없음.

③옳고 그름을 따지지 아니함.

④한번도 만나본 적이 없어 도무지 모르는 사람.

[설명] ◎不問曲直(불문곡직): 옳고 그름을 따지지 아니함.

49. 우리 조상들이 남긴 문화유산을 대하는 태도로 바르지 않은 것은? (④)

①자긍심을 갖는다. ②조상의 얼을 느껴본다.

③소중히 아끼고 보존한다. ④대충대충 관리한다.

[설명] ◎우리의 문화유산은 소중하게 간직하고 대충대충 관리해서는 안된다.

50. 한자를 익히는 방법으로 바르지 않은 것은? (②)

①한자의 부수와 총획을 익힌다.

②쉽고 쓰기 쉬운 한자만 익힌다.

③한자의 여러 가지 훈음을 익혀본다.

④한자의 훈음을 제대로 알고 쓴다.

[설명] ◎한자는 난이도와 필요도에 맞게 순서대로 공부 한다.

♣ 수고하셨습니다.

準四級漢字 실전대비문제

모|범|답|안 6회

■ 다음 물음에 맞는 답의 번호를 골라 답안지의 해당 답란에 표시하시오.

※ 한자의 훈음으로 바른 것을 고르시오.

1. 可 (②) ①나눌 구 ②옳을 가 ③노래 가 ④향할 향

[설명] ◎區(나눌 구), 歌(노래 가), 向(향할 향).

2. 根 (①) ①뿌리 근 ②순박할 박 ③나무 목 ④은 은

[설명] ◎朴(순박할 박), 木(나무 목), 銀(은 은).

3. 苦 (④) ①집 당 ②예 고 ③머리 수 ④괴로울 고

[설명] ◎堂(집 당), 古(예 고), 首(머리 수).

4. 漁 (③) ①덕 덕 ②물고기 어 ③고기잡을 어 ④소 우

[설명] ◎德(덕 덕), 魚(물고기 어), 牛(소 우).

5. 院 (①) ①집 원 ②마당 장 ③모일 사 ④언덕 원

[설명] ◎場(마당 장), 社(모일 사), 原(언덕 원).

6. 注 (③) ①살 주 ②마을 리 ③물댈 주 ④임금 왕

[설명] ◎住(살 주), 里(마을 리), 王(임금 왕).

7. 考 (②) ①효도 효 ②상고할 고 ③벗 우 ④늙을 로

[설명] ◎孝(효도 효), 友(벗 우), 老(늙을 로).

8. 知 (④) ①설 립 ②화할 화 ③심을 식 ④알 지

[설명] ◎立(설 립), 和(화할 화), 植(심을 식).

9. 式 (①) ①법 식 ②처음 초 ③이룰 성 ④법 법

[설명] ◎初(처음 초), 成(이룰 성), 法(법 법).

10.能 (②) ①농사 농 ②능할 능 ③많을 다 ④재주 재

[설명] ◎農(농사 농), 多(많을 다), 才(재주 재).

※ 훈음에 맞는 한자를 고르시오.

11. 억 억 (②) ①親 ②億 ③百 ④意

[설명] ◎親(친할 친), 百(일백 백), 意(뜻 의).

12. 공변될 공 (④) ①部 ②空 ③命 ④公

[설명] ◎部(거느릴 부), 空(빌 공), 命(목숨 명).

13. 공경할 경 (①) ①敬 ②育 ③京 ④共

[설명] ◎育(기를 육), 京(서울 경), 共(함께 공).

14. 그럴 연 (③) ①黑 ②通 ③然 ④天

[설명] ◎黑(검을 흑), 通(통할 통), 天(하늘 천).

15. 꾸짖을 책 (②) ①貝 ②責 ③青 ④放

[설명] ◎貝(조개 패), 青(푸를 청), 放(놓을 방).

16. 익힐 습 (③) ①聞 ②安 ③習 ④每

[설명] ◎聞(들을 문), 安(편안할 안), 每(매양 매).

17. 말미암을 유 (①) ①由 ②先 ③足 ④行

[설명] ◎先(먼저 선), 足(발 족), 行(다닐 행).

18. 아이 동 (④) ①弟 ②同 ③兒 ④童

[설명] ◎弟(아우 제), 同(한가지 동), 兒(아이 아).

19. 종이 지 (①) ①紙 ②書 ③線 ④功

[설명] ◎書(글 서), 線(줄 선), 功(공 공).

20. 신하 신 (③) ①短 ②班 ③臣 ④千

[설명] ◎短(짧을 단), 班(나눌 반), 千(일천 천).

※ 물음에 알맞은 답을 고르시오.

21. "몸을 다스려 보호한다"는 데서 '옷'의 뜻을 가진 한자는? (①)

①服 ②朝 ③定 ④有

[설명] ◎服(옷 복).

22. 어휘의 독음이 바르지 않은 것은? (④)

①祖孫(조손) ②消火(소화) ③下待(하대) ④當番(당심)

[설명] ◎當番(당번, 마땅할 당·차례 번): 어떤 일을 책임지고 돌보는 차례가 됨. 또는 그 차례가 된 사람.

23. "메달도 중요하지만 參加에 의의가 있다"에서 밑줄 친 '參'의 훈음으로 알맞은 것은? (③)

①빽빽할 삼 ②별 삼 ③참여할 참 ④헤아릴 참

[설명] ◎參(참·삼): 참여할, 간여할, 관계할, 나란할, 가지런할, 나란히 설, 섞일, 뒤섞을, 헤아릴, 비교할, 살필, 탄핵할, 층날, 뵐, 뵈올, 빽빽이 들어설, 높을, 가지런하지 않을, 무리, 삼공, 삼정승, 가지런하지 않은 모양, 여러 사람이 붙좇아 따르는 모양 (참) / 석, 셋, 별 이름, 인삼, 긴 모양, 길, 섞일, 뒤섞을 (삼). ◎參加(참가): 「1」 모임이나 단체 또는 일에 관계하여 들어감. 「2」 『법률』 어떤 법률관계에 당사자 이외의 제삼자가 관여함.

24. '等'을(를) 자전에서 찾을 때의 방법으로 바르지 않은 것은? (④)

①총획으로 찾을 때는 '12획'에서 찾는다.
②부수로 찾을 때는 '竹'부수 6획에서 찾는다.
③자음으로 찾을 때는 '등'음에서 찾는다.
④부수로 찾을 때는 '寸'부수 9획에서 찾는다.

[설명] ◎等(무리 등): 竹(대 죽, 6획)부수의 6획, 총12획.

25. '主'의 반의자는? (②)
①今 ②客 ③位 ④夫
[설명] ◎主(주인 주) ↔ 客(손님 객).

26. '敎'의 유의자는? (①)
①訓 ②問 ③長 ④交
[설명] ◎敎(가르칠 교) = 訓(가르칠 훈).

27. "現□, □學, 內□"에서 □안에 공통으로 들어갈 알맞은 한자는? (③)
①高 ②村 ③在 ④人
[설명] ◎現在(현재):「1」지금의 시간.「2」기준으로 삼은 그 시점.「3」『언어』동작이나 상태가 지금 행하여지고 있거나 지속됨을 나타내는 시제. 동사의 경우 기본형에 선어말 어미 '-ㄴ/는'을 넣어서 나타내며, 형용사나 서술격 조사 '이다'는 그냥 기본형으로 나타낸다. 보편적인 진리나 습관을 나타낼 때도 현재 시제를 쓴다.「4」지금 이 시점에.「5」기준으로 삼은 그 시점에. ◎在學(재학): 학교에 적(籍)을 두고 있음. ◎內在(내재):「1」어떤 사물이나 범위의 안에 들어 있음. 또는 그런 존재.「2」『철학』형이상학 또는 종교 철학에서, 신(神)이 세계의 본질로서 세계 안에 존재함을 이르는 말.「3」『철학』스콜라 철학에서 정신 작용에 있어서 원인과 결과가 모두 그 작용의 안에 있음을 이르는 말.「4」『철학』칸트의 인식론에서, 경험의 한계 안에 있음을 이르는 말.

※ 어휘의 독음이 바른 것을 고르시오.

28. 要所 (④) ①매소 ②요구 ③중요 ④요소
[설명] ◎要所(요소): 중요한 장소나 지점.

29. 感性 (③) ①함정 ②감격 ③감성 ④지성
[설명] ◎感性(감성):「1」자극이나 자극의 변화를 느끼는 성질.「2」『철학』이성(理性)에 대응되는 개념으로, 외계의 대상을 오관(五官)으로 감각하고 지각하여 표상을 형성하는 인간의 인식 능력.

30. 結合 (①) ①결합 ②연합 ③결론 ④결탁
[설명] ◎結合(결합): 둘 이상의 사물이나 사람이 서로 관계를 맺어 하나가 됨.

31. 表土 (②) ①양토 ②표토 ③표교 ④낙토
[설명] ◎表土(표토):「1」『고적』유적(遺跡)에 퇴적한 토층(土層)의 가장 윗부분.「2」토질이 부드러워 갈고 맬 수 있는 땅 표면의 흙.

32. 速讀 (④) ①가속 ②속력 ③속도 ④속독
[설명] ◎速讀(속독): 책 따위를 빠른 속도로 읽음.

33. 田園 (③) ①정원 ②전단 ③전원 ④전야
[설명] ◎田園(전원): 논과 밭이라는 뜻으로, 도시에서 떨어진 시골이나 교외(郊外)를 이르는 말.

34. 答信 (③) ①합신 ②확신 ③답신 ④답언
[설명] ◎答信(답신): 회답으로 통신이나 서신을 보냄. 또는 그 통신이나 서신.

35. 例示 (①) ①예시 ②예문 ③예년 ④열시
[설명] ◎例示(예시): 예를 들어 보임.

※ 어휘의 뜻으로 알맞은 것을 고르시오.

36. 重任 (④)
①임무를 저버림. ②오랫동안 해온 일.
③중요한 편지. ④중대한 임무.

37. 開始 (③)
①처음과 끝. ②장사가 잘 됨.
③행동이나 일 따위를 처음 시작함.
④일을 열심히 함.

※ 낱말을 한자로 바르게 쓴 것을 고르시오.

38. 실신: 정신을 잃음. (②)
①新室 ②失神 ③神室 ④失新

39. 지혈: 나오는 피를 그치게 함. (①)
①止血 ②血肉 ③止水 ④休止

※ 밑줄 친 어휘의 알맞은 독음을 고르시오.

40. 모든 <u>作業</u>이 제시간에 끝났다. (④)
①사업 ②작전 ③전업 ④작업
[설명] ◎作業(작업):「1」일을 함. 또는 그 일.「2」일정한 목적과 계획 아래 하는 일.「3」『군사』근무나 훈련 이외에 진지 구축, 막사나 도로 보수 따위의 임시로 하는 일.

41. 집중 폭우로 <u>河川</u>(이)가 범람하였다. (①)
①하천 ②하수 ③강천 ④유천
[설명] ◎河川(하천): 강과 시내를 아울러 이르는 말.

42. 어려서 <u>美國</u>에 입양된 아이들이 많다. (④)
①중국 ②영국 ③미제 ④미국
[설명] ◎美國(미국): 북아메리카 대륙의 가운데를 차지하는 연방 공화국. 영국의 식민지였으나 1776년 13주가 독립을 선언하고 독립 전쟁에 승리하여 1783년 각

국의 승인을 받았다. 이후 영토를 확장하면서 급속한 경제 성장을 이루어 국제 정치·경제상의 중요한 위치를 차지하고 있다. 50개의 주와 하나의 특별구로 이루어져 있으며, 주민은 대부분이 백인이고 인구의 약 10%가 흑인이며 주요 언어는 영어이다. 수도는 워싱턴, 면적은 937만 5720㎢.

※ 다음 면에 계속

※ 밑줄 친 부분을 한자로 바르게 쓴 것을 고르시오.

43. 친구는 <u>병졸</u> 역할을 맡았다. (③)
①病者 ②軍士 ③兵卒 ④兵士
[설명] ◎兵卒(병졸): 예전에, 군인이나 군대를 이르던 말.

44. 산에는 <u>약초</u>로 쓰이는 식물이 많다. (④)
①藥花 ②樂草 ③樂花 ④藥草
[설명] ◎藥草(약초): 약으로 쓰는 풀.

※ 물음에 알맞은 답을 고르시오.

45. 어휘의 짜임이 '병렬관계'가 <u>아닌</u> 것은? (④)
①海洋 ②身體 ③中央 ④遠族
[설명] ◎海洋(해양, 바다 해·큰바다 양): 넓고 큰 바다. 지구 표면의 약 70%를 차지하는 수권(水圈)으로, 태평양·대서양·인도양 따위를 통틀어 이르는 말이다. ◎身體(신체, 몸 신·몸 체): 사람의 몸. ◎中央(중앙, 가운데 중·가운데 앙): 「1」 사방의 중심이 되는 한가운데. 「2」 양쪽 끝에서 같은 거리에 있는 지점. 「3」 중심이 되는 중요한 곳. 「4」 지방에 상대하여 수도를 이르는 말. 이상은 모두 앞 글자와 뒤 글자가 서로 대등한 관계인 '병렬관계'이다. ◎遠族(원족, 멀 원·겨레 족): 촌수가 먼 일가. 이는 앞 글자가 뒤 글자를 꾸며주는 '수식관계'이다.

46. '正午'의 반의어는? (①)
①子正 ②午後 ③同時 ④子午
[설명] ◎正午(정오): 낮 열두 시. 곧 태양이 표준 자오선을 지나는 순간을 이른다. ↔ ◎子正(자정): 자시(子時)의 한가운데. 밤 열두 시를 이른다.

47. '道上'의 유의어는? (②)
①面上 ②路上 ③水路 ④頭面
[설명] ◎道上(도상): 「1」 길 위. 「2」 어떤 일이 진행되는 과정이나 도중. = ◎路上(노상): 「1」 길의 바닥 표면. 「2」 길거리나 길의 위.

48. "제각기 살아 나갈 방법을 꾀함"을 이르는 성어는 '各自□生'이다. □안에 들어갈 알맞은 한자는? (①)
①圖 ②形 ③全 ④力
[설명] ◎各自圖生(각자도생): 제각기 살아 나갈 방법을 꾀함.

49. 선생님에 대한 인사 예절로 바르지 <u>않은</u> 것은? (④)
①선생님 뒤에서 인사를 해서는 안 된다.
②복도나 문에서 선생님과 마주치면 먼저 가시도록 양보를 한다.
③교무실에 들어가거나 나올 때 반드시 인사한다.
④모자를 썼을 때는 모자를 쓴 채로 인사한다.

50. 우리나라의 명절 가운데 하나인 '단오'가 속하는 달은? (②)
①음력九月 ②음력五月 ③음력四月 ④음력七月
[설명] ◎단오는 음력 5월 5일로, 단오떡을 해 먹고 여자는 창포물에 머리를 감고 그네를 뛰며 남자는 씨름을 한다.

♣ 수고하셨습니다.

準四級漢字

실전대비문제

모범답안 7회

■ 다음 물음에 맞는 답의 번호를 골라 답안지의 해당 답란에 표시하시오.

※ 한자의 훈음으로 바른 것을 고르시오.

1. 禮 (④) ①놓을 방 ②아침 조 ③줄 선 ④예도 례

[설명] ◎放(놓을 방), 朝(아침 조), 線(줄 선).

2. 典 (③) ①함께 공 ②이로울 리 ③법 전 ④노래 가

[설명] ◎共(함께 공), 利(이로울 리), 歌(노래 가).

3. 題 (①) ①제목 제 ②적을 소 ③살 활 ④대답할 대

[설명] ◎少(적을 소), 活(살 활), 對(대답할 대).

4. 堂 (④) ①마을 촌 ②마땅할 당 ③마당 장 ④집 당

[설명] ◎村(마을 촌), 當(마땅할 당), 場(마당 장).

5. 順 (③) ①평평할 평 ②소리 음 ③순할 순 ④법 법

[설명] ◎平(평평할 평), 音(소리 음), 法(법 법).

6. 算 (④) ①누를 황 ②나라이름 한 ③공경할 경 ④셈 산

[설명] ◎黃(누를 황), 韓(나라이름 한), 敬(공경할 경).

7. 級 (②) ①은 은 ②등급 급 ③급할 급 ④종이 지

[설명] ◎銀(은 은), 急(급할 급), 紙(종이 지).

8. 窓 (①) ①창문 창 ②나눌 구 ③생각 사 ④이제 금

[설명] ◎區(나눌 구), 思(생각 사), 今(이제 금).

9. 勇 (②) ①사내 남 ②날쌜 용 ③기를 육 ④수고로울 로

[설명] ◎男(사내 남), 育(기를 육), 勞(수고로울 로).

10. 福 (④) ①새로울 신 ②팔 매 ③차례 번 ④복 복

[설명] ◎新(새로울 신), 賣(팔 매), 番(차례 번).

※ 훈음에 맞는 한자를 고르시오.

11. 어질 량 (④) ①洋 ②食 ③半 ④良

[설명] ◎洋(큰바다 양), 食(먹을 식), 半(절반 반).

12. 순박할 박 (②) ①英 ②朴 ③肉 ④信

[설명] ◎英(꽃부리 영), 肉(고기 육), 信(믿을 신).

13. 지낼 력 (④) ①千 ②邑 ③萬 ④歷

[설명] ◎千(일천 천), 邑(고을 읍), 萬(일만 만).

14. 자리 석 (②) ①位 ②席 ③便 ④意

[설명] ◎位(자리 위), 便(편할 편), 意(뜻 의).

15. 귀할 귀 (③) ①光 ②央 ③貴 ④後

[설명] ◎光(빛 광), 央(가운데 앙), 後(뒤 후).

16. 고을 주 (③) ①竹 ②語 ③州 ④川

[설명] ◎竹(대 죽), 語(말씀 어), 川(내 천).

17. 오얏 리 (①) ①李 ②字 ③赤 ④本

[설명] ◎字(글자 자), 赤(붉을 적), 本(근본 본).

18. 맑을 청 (④) ①遠 ②百 ③黑 ④清

[설명] ◎遠(멀 원), 百(일백 백), 黑(검을 흑).

19. 가벼울 경 (②) ①里 ②輕 ③向 ④農

[설명] ◎里(마을 리), 向(향할 향), 農(농사 농).

20. 괴로울 고 (②) ①古 ②苦 ③考 ④樂

[설명] ◎古(예 고), 考(상고할 고), 樂(즐거울 락).

※ 물음에 알맞은 답을 고르시오.

21. 좌우의 발 모양을 본뜬 것으로, '걷다, 걸음'을 뜻하는 한자는? (②)

①路 ②步 ③止 ④去

[설명] ◎步(걸음 보).

22. 어휘의 독음이 바르지 <u>않은</u> 것은? (④)

①因果(인과) ②第一(제일) ③病名(병명) ④責任(적임)

[설명] ◎責任(책임, 꾸짖을 책·맡길 임): 「1」 맡아서 해야 할 임무나 의무. 「2」 어떤 일에 관련되어 그 결과에 대하여 지는 의무나 부담. 또는 그 결과로 받는 제재(制裁). 「3」 위법한 행동을 한 사람에게 법률적 불이익이나 제재를 가하는 일. 민사 책임과 형사 책임이 있다.

23. "하루의 <u>反省</u>은 꼭 필요하다"에서 밑줄 친 '省'의 훈음으로 바른 것은? (④)

①덜 생 ②살필 생 ③허물 생 ④살필 성

[설명] ◎省(성·생): 살피다, 깨닫다, 명심하다, 관청, 관아, 마을, 대궐 (성) / 덜다, 허물, 재앙 (생). ◎反省(반성): 자신의 언행에 대하여 잘못이나 부족함이 없는지 돌이켜 봄.

24. '號'을(를) 자전에서 찾을 때의 방법으로 바르지 <u>않은</u> 것은? (③)

①부수로 찾을 때는 '虍'부수 7획에서 찾는다.

모|범|답|안 7회

②총획으로 찾을 때는 '13획'에서 찾는다.
③부수를 찾을 때는 '口'부수 10획에서 찾는다.
④자음으로 찾을 때는 '호'음에서 찾는다.

[설명] ◎號(이름 호): 虍(범의문채 호, 6획)부수의 7획, 총13획.

25. '章'의 유의자는? (①)
①文 ②問 ③各 ④交

[설명] ◎章(글, 문장 장) = 文(글월, 문장 문).

26. '孫'의 반의자는? (②)
①子 ②祖 ③弟 ④父

[설명] ◎孫(손자 손) ↔ 祖(할아비 조).

27. "直□, 頭□, 四□形"에서 □안에 공통으로 들어갈 알맞은 한자는? (①)
①角 ②先 ③感 ④正

[설명] ◎直角(직각): 두 직선이 만나서 이루는 90도의 각. '∠R'로 나타낸다. ◎頭角(두각): 「1」 짐승의 머리에 있는 뿔. 「2」 뛰어난 학식이나 재능을 비유적으로 이르는 말. ◎四角形(사각형): 네 개의 선분으로 둘러싸인 평면 도형.

※ 어휘의 독음이 바른 것을 고르시오.

28. 實例 (③) ①관례 ②실지 ③실례 ④실사

[설명] ◎實例(실례): 구체적인 실제의 보기.

29. 神氣 (④) ①신동 ②선동 ③선기 ④신기

[설명] ◎神氣(신기): 「1」 신비롭고 불가사의한 운기(雲氣). 「2」 만물을 만들어 내는 원기(元氣). 「3」 정신과 기운을 아울러 이르는 말.

30. 由來 (②) ①우내 ②유래 ③전래 ④우래

[설명] ◎由來(유래): 사물이나 일이 생겨남. 또는 그 사물이나 일이 생겨난 바.

31. 風雲 (③) ①풍악 ②풍화 ③풍운 ④풍설

[설명] ◎風雲(풍운): 「1」 바람과 구름을 아울러 이르는 말. 「2」 용이 바람과 구름을 타고 하늘로 오르는 것처럼 영웅호걸들이 세상에 두각을 나타내는 좋은 기운. 「3」 사회적·정치적으로 세상이 크게 변하려는 기운을 비유적으로 이르는 말.

32. 野球 (③) ①야합 ②야식 ③야구 ④족구

[설명] ◎野球(야구): 9명씩으로 이루어진 두 팀이 9회씩 공격과 수비를 번갈아 하며 승패를 겨루는 구기 경기. 공격하는 쪽은 상대편 투수가 던진 공을 배트(bat)로 치고 1, 2, 3루를 돌아 본루로 돌아오면 1점을 얻는다.

33. 數理 (②) ①도리 ②수리 ③수학 ④누리

[설명] ◎數理(수리): 「1」 수학의 이론이나 이치. 「2」 수학과 자연 과학을 아울러 이르는 말.

34. 溫和 (①) ①온화 ②유화 ③온실 ④난화

[설명] ◎溫和(온화): 「1」 날씨가 맑고 따뜻하며 바람이 부드러움. 「2」 성격, 태도 따위가 온순하고 부드러움.

35. 親族 (③) ①민족 ②친척 ③친족 ④가족

[설명] ◎親族(친족): 「1」 촌수가 가까운 일가. 「2」 생물의 종류나 언어 따위에서, 같은 것에서 기원하여 나누어진 개체나 부류를 이르는 말. 「3」 배우자, 혈족, 인척을 통틀어 이르는 말.

※ 어휘의 뜻으로 알맞은 것을 고르시오.

36. 原告 (②)
①연설문 따위의 초안.
②법원에 소송을 제기하여 재판을 청구한 사람.
③소송을 당한 쪽의 당사자.
④형사 피고인의 변호를 맡은 변호사.

37. 訓讀 (③)
①소리 내어 읽음. ②한자의 음을 읽음.
③한자의 뜻을 새기어 읽음. ④문장의 뜻풀이.

※ 낱말을 한자로 바르게 쓴 것을 고르시오.

38. 유속: 물이 흐르는 속도. (④)
①流水 ②海流 ③海速 ④流速

39. 우애: 형제간이나 친구 사이의 도타운 정과 사랑. (③)
①友人 ②愛人 ③友愛 ④社友

※ 밑줄 친 어휘의 알맞은 독음을 고르시오.

40. <u>庭園</u>에 나무를 몇 그루 심었다. (②)
①정단 ②정원 ③연단 ④계단

[설명] ◎庭園(정원): 집 안에 있는 뜰이나 꽃밭.

41. 그는 대회 <u>參加</u>을(를) 앞두고 열심히 훈련 중이다. (①)
①참가 ②참여 ③출전 ④출가

[설명] ◎參加(참가): 「1」 모임이나 단체 또는 일에 관계하여 들어감. 「2」 어떤 법률관계에 당사자 이외의 제삼자가 관여함.

42. <u>現在</u>의 주어진 일에 최선을 다하라. (③)
①미래 ②현존 ③현재 ④지금

[설명] ◎現在(현재): 「1」 지금의 시간. 「2」 기준으로 삼

은 그 시점.「3」동작이나 상태가 지금 행하여지고 있거나 지속됨을 나타내는 시제. 동사의 경우 기본형에 선어말 어미 '-ㄴ/는'을 넣어서 나타내며, 형용사나 서술격 조사 '이다'는 그냥 기본형으로 나타낸다. 보편적인 진리나 습관을 나타낼 때도 현재 시제를 쓴다.

※ 다음 면에 계속

※ 밑줄 친 부분을 한자로 바르게 쓴 것을 고르시오.

43. 계속되는 가뭄에 단비가 충족히 내렸다. (②)
①萬足 ②充足 ③充分 ④不足
[설명] ◎充足(충족):「1」넉넉하여 모자람이 없음.「2」일정한 분량을 채워 모자람이 없게 함.

44. 강가에서 동물 화석이 발견됐다. (④)
①化右 ②花右 ③火石 ④化石
[설명] ◎化石(화석):『지리』지질 시대에 생존한 동식물의 유해와 활동 흔적 따위가 퇴적물 중에 매몰된 채로 또는 지상에 그대로 보존되어 남아 있는 것을 통틀어 이르는 말. 생물의 진화, 그 시대의 지표 상태를 아는 데에 큰 도움이 된다.

※ 물음에 알맞은 답을 고르시오.

45. 어휘의 짜임이 "무엇이 어떠하다"로 이루어진 것은? (③)
①吉凶 ②登山 ③山青 ④女兒
[설명] ◎吉凶(길흉, 길할 길·흉할 흉): 운이 좋고 나쁨. 이는 앞 글자와 뒤 글자가 서로 대등한 "병렬관계"이다. ◎登山(등산, 오를 등·메,뫼 산): 운동, 놀이, 탐험 따위의 목적으로 산에 오름. 이는 '~이(가) ~이(하)다'로 해석되는 "술보관계"이다. ◎女兒(여아, 여자 녀·아이 아):「1」여자아이.「2」직접 본인에게나 남에게 대하여 이르는 말. 이는 앞 글자가 뒤 글자를 꾸며주는 '수식관계'이다. ◎山青(산청, 메,뫼 산·푸를 청): 산이 푸르다. 이는 "무엇이 어떠하다"로 해석되는 '주술관계'이다.

46. '體面'의 유의어는? (①)
①面目 ②身體 ③全體 ④心身
[설명] ◎體面(체면) : 남을 대하기에 떳떳한 도리나 얼굴 = ◎面目(면목): 얼굴의 생김새.

47. '夏服'의 반의어는? (③)
①衣服 ②服用 ③冬服 ④軍服
[설명] ◎夏服(하복): 여름철에 입는 옷 ↔ ◎冬服(동복): 겨울철에 입는 옷.

48. "草綠同色"의 속뜻으로 알맞은 것은? (③)
①자연과 내가 하나가 됨. ②친구와의 우정을 뜻함.
③서로 같은 무리끼리 어울림.
④자연의 아름다움을 노래함.
[설명] ◎草綠同色(초록동색): 풀빛과 녹색(綠色)은 같은 빛깔이란 뜻으로, 같은 처지(處地)의 사람과 어울리거나 기우는 것.

49. 電話하는 예절로 바르지 못한 것은? (②)
①상대가 확인되면 자신의 이름을 말한다.
②용건이 끝나면 人事없이 뚝 끊는다.
③용건을 미리 정리해 짧게 通話한다.
④잘못 걸린 電話라도 친절하게 받는다.

50. 추석이나 한식날 조상의 묘를 찾아 돌보는 일을 무엇이라 하는가? (①)
①성묘 ②차례 ③덕담 ④제사
[설명] ◎성묘: 조상의 산소를 찾아가서 돌봄. 또는 그런 일. 주로 설, 추석, 한식에 한다.

♣ 수고하셨습니다.

* 準四級漢字

실전대비문제

모|범|답|안 8회

■ 다음 물음에 맞는 답의 번호를 골라 답안지의 해당 답란에 표시하시오.

※ 한자의 훈음으로 바른 것을 고르시오.

1. 李 (②) ①많을 다 ②오얏 리 ③아름다울 미 ④덕 덕

[설명] ◎多(많을 다), 美(아름다울 미), 德(덕 덕).

2. 洋 (③) ①눈 설 ②그림 도 ③큰바다 양 ④마을 촌

[설명] ◎雪(눈 설), 圖(그림 도), 村(마을 촌).

3. 止 (②) ①저자 시 ②그칠 지 ③낮 오 ④나무 수

[설명] ◎市(저자 시), 午(낮 오), 樹(나무 수).

4. 表 (①) ①겉 표 ②은 은 ③함께 공 ④겨울 동

[설명] ◎銀(은 은), 共(함께 공), 冬(겨울 동).

5. 奉 (④) ①털 모 ②대답할 대 ③살필 성 ④받들 봉

[설명] ◎毛(털 모), 對(대답할 대), 省(살필 성).

6. 消 (②) ①얼음 빙 ②사라질 소 ③벼슬할 사 ④기름 유

[설명] ◎氷(얼음 빙), 仕(벼슬할 사), 油(기름 유).

7. 告 (③) ①각각 각 ②끝 말 ③알릴 고 ④맡길 임

[설명] ◎各(각각 각), 末(끝 말), 任(맡길 임).

8. 兵 (②) ①군사 졸 ②군사 병 ③물건 물 ④지아비 부

[설명] ◎卒(군사 졸), 物(물건 물), 夫(지아비 부).

9. 決 (②) ①물댈 주 ②결단할 결 ③짧을 단 ④고을 동

[설명] ◎注(물댈 주), 短(짧을 단), 洞(고을 동).

10. 加 (④) ①옳을 가 ②익힐 습 ③아침 조 ④더할 가

[설명] ◎可(옳을 가), 習(익힐 습), 朝(아침 조).

※ 훈음에 맞는 한자를 고르시오.

11. 서로 상 (②) ①姓 ②相 ③植 ④號

[설명] ◎姓(성씨 성), 植(심을 식), 號(이름 호).

12. 능할 능 (①) ①能 ②良 ③術 ④每

[설명] ◎良(어질 량), 術(재주 술), 每(매양 매).

13. 반드시 필 (④) ①心 ②黃 ③便 ④必

[설명] ◎心(마음 심), 黃(누를 황), 便(편할 편).

14. 같을 여 (④) ①的 ②信 ③永 ④如

[설명] ◎的(과녁 적), 信(믿을 신), 永(길 영).

15. 팔 매 (②) ①空 ②賣 ③買 ④旗

[설명] ◎空(빌 공), 買(살 매), 旗(기 기).

16. 고을 군 (①) ①郡 ②邑 ③敬 ④待

[설명] ◎邑(고을 읍), 敬(공경할 경), 待(기다릴 대).

17. 창문 창 (②) ①因 ②窓 ③急 ④區

[설명] ◎因(인할 인), 急(급할 급), 區(나눌 구).

18. 집 당 (③) ①家 ②全 ③堂 ④前

[설명] ◎家(집 가), 全(온전할 전), 前(앞 전).

19. 뿌리 근 (②) ①花 ②根 ③林 ④英

[설명] ◎花(꽃 화), 林(수풀 림), 英(꽃부리 영).

20. 망할 망 (④) ①飮 ②級 ③無 ④亡

[설명] ◎飮(마실 음), 級(등급 급), 無(없을 무).

※ 물음에 알맞은 답을 고르시오.

21. 해가 뜨고 지는 선을 붓으로 그어 놓고, 밤과 구별하여 '낮'의 뜻을 나타내는 한자는? (②)

①寸 ②晝 ③高 ④室

[설명] ◎晝(낮 주).

22. 어휘의 독음이 바르지 않은 것은? (③)

①夕陽(석양) ②場所(장소)
③用例(용렬) ④當落(당락)

[설명] ◎用例(용례, 쓸 용·법식 례): 쓰고 있는 예. 또는 용법의 보기.

23. "어머니는 오열 끝에 失神하고 말았다"에서 밑줄 친 '失'의 훈음으로 알맞은 것은? (②)

①잘못 실 ②잃을 실 ③놓을 일 ④남길 실

[설명] ◎失(실·일): 잃을, 잃어버릴, 달아날, 도망칠, 남길, 빠뜨릴, 잘못 볼, 오인할, 틀어질, 가다, 떠나다, 잘못할, 그르칠, 어긋날, 마음을 상할, 바꿀, 잘못, 허물, 지나침 (실) / 놓다, 놓아줄, 풀어놓을, 달아날, 벗어날, 즐길, 좋아할 (일). ◎失神(실신): 병이나 충격 따위로 정신을 잃음.

24. '貴'을(를) 자전에서 찾을 때의 방법으로 바르지 않은 것은? (③)

①부수로 찾을 때는 '貝'부수 5획에서 찾는다.
②자음으로 찾을 때는 '귀'음에서 찾는다.
③총획으로 찾을 때는 '11'획에서 찾는다.

④총획으로 찾을 때는 '12'획에서 찾는다.

[설명] ◎貴(귀할 귀): 貝(조개 패, 7획) 부수의 5획, 총 12획.

25. '兒'의 유의자는? (①)

①童 ②兄 ③少 ④男

[설명] ◎兒(아이 아) = 童(아이 동).

26. '重'의 반의자는? (②)

①央 ②輕 ③登 ④番

[설명] ◎重(무거울 중) ↔ 輕(가벼울 경).

27. "□題, 生□, 運□"에서 □안에 공통으로 들어갈 알맞은 한자는? (④)

①動 ②長 ③宿 ④命

[설명] ◎命題(명제): 시문 따위의 글에 제목을 정함. 또는 그 제목.「2」『논리』어떤 문제에 대한 하나의 논리적 판단 내용과 주장을 언어 또는 기호로 표시한 것. 참과 거짓을 판단할 수 있는 내용이라는 점이 특징이다. 이를테면, '고래는 포유류이다.' 따위이다. ◎生命(생명):「1」사람이 살아서 숨 쉬고 활동할 수 있게 하는 힘.「2」여자의 자궁 속에 자리 잡아 앞으로 사람으로 태어날 존재.「3」동물과 식물의, 생물로서 살아 있게 하는 힘.「4」사물이 유지되는 일정한 기간.「5」사물이 존재할 수 있는 가장 중요한 요건을 비유적으로 이르는 말. ◎運命(운명):「1」인간을 포함한 모든 것을 지배하는 초인간적인 힘. 또는 그것에 의하여 이미 정하여져 있는 목숨이나 처지.「2」앞으로의 생사나 존망에 관한 처지.

※ 어휘의 독음이 바른 것을 고르시오.

28. 詩集 (②) ①서집 ②시집 ③서재 ④시재

[설명] ◎詩集(시집): 여러 편의 시를 모아서 엮은 책.

29. 意思 (③) ①의견 ②의중 ③의사 ④의심

[설명] ◎意思(의사): 무엇을 하고자 하는 생각.

30. 自然 (③) ①백연 ②목연 ③자연 ④자신

[설명] ◎自然(자연):「1」사람의 힘이 더해지지 아니하고 세상에 스스로 존재하거나 우주에 저절로 이루어지는 모든 존재나 상태.「2」사람의 힘이 더해지지 아니하고 저절로 생겨난 산, 강, 바다, 식물, 동물 따위의 존재. 또는 그것들이 이루는 지리적·지질적 환경.「3」사람의 힘이 더해지지 아니하고 스스로 존재하거나 저절로 이루어진다는 뜻을 나타내는 말.「4」사람과 사물의 본성이나 본질.「5」의식이나 경험의 대상인 현상의 전체.

31. 結果 (④) ①과실 ②길동 ③결실 ④결과

[설명] ◎結果(결과):「1」열매를 맺음. 또는 그 열매.「2」어떤 원인으로 결말이 생김. 또는 그런 결말의 상태.「3」내부적 의지나 동작의 표현이 되는 외부적 의지와 동작 및 그곳에서 생기는 영향이나 변화.

32. 親庭 (①) ①친정 ②신정 ③친가 ④시정

[설명] ◎親庭(친정): 결혼한 여자의 부모 형제 등이 살고 있는 집.

33. 品位 (②) ①품립 ②품위 ③구위 ④구립

[설명] ◎品位(품위):「1」직품(職品)과 직위를 아울러 이르는 말.「2」사람이 갖추어야 할 위엄이나 기품.「3」사물이 지닌 고상하고 격이 높은 인상.「4」금화나 은화가 함유하고 있는 금·은의 비례.「5」광석 안에 들어 있는 금속의 정도. 특히 다이아몬드의 품질을 나타내는 등급이다.「6」어떤 물품의 질적 수준.

34. 勇士 (③) ①무사 ②용기 ③용사 ④용토

[설명] ◎勇士(용사):「1」용맹스러운 사람.「2」용감한 군사.

※ 어휘의 뜻으로 알맞은 것을 고르시오.

35. 勝算 (②)

①이긴 편. ②이길 수 있는 가능성.
③이긴 원인. ④겨루거나 싸워서 이김.

36. 由來 (③)

①흘러 움직임. ②떠내려가서 없어짐.
③사물이나 일이 생겨난 바. ④기름이 나는 곳.

37. 名醫 (①)

①병을 잘 고쳐 이름난 의원.
②역사가 오래된 병원. ③특효약.
④명분과 의리.

※ 낱말을 한자로 바르게 쓴 것을 고르시오.

38. 복리: 행복과 이익. (②)

①幸福 ②福利 ③福理 ④服利

39. 길흉: 운이 좋고 나쁨. (①)

①吉凶 ②大吉 ③曲直 ④正直

※ 밑줄 친 어휘의 알맞은 독음을 고르시오.

40. 足球 시합에서 우리 반이 이겼다. (④)

①야구 ②축구 ③배구 ④족구

[설명] ◎足球(족구):「1」발야구.「2」발로 공을 차서 네트를 넘겨 승부를 겨루는 경기. 규칙은 배구와 비

솟하다.

41. 운전면허 시험에 어렵게 <u>合格</u>하였다. (③)

①낙제 ②불참 ③합격 ④참가

[설명] ◎合格(합격): 「1」 시험, 검사, 심사 따위에서 일정한 조건을 갖추어 어떠한 자격이나 지위 따위를 얻음. 「2」 어떤 조건이나 격식에 맞음.

42. 오후가 되자 날씨가 더워지기 <u>始作</u>했다. (③)

①시인 ②시왕 ③시작 ④시기

[설명] ◎始作(시작): 어떤 일이나 행동의 처음 단계를 이루거나 그렇게 하게 함. 또는 그 단계.

※ 다음 면에 계속

※ 밑줄 친 부분을 한자로 바르게 쓴 것을 고르시오.

43. 이번 달에는 가족 행사가 많아서 <u>적자</u>가 났다. (③)

①赤子 ②黑子 ③赤字 ④黑字

[설명] ◎赤字(적자): 「1」 붉은 잉크를 사용하여 교정을 본 글자나 기호. 「2」 지출이 수입보다 많아서 생기는 결손액. 장부에 기록할 때 붉은 글자로 기입한 데서 유래한다.

44. 폐렴으로 입원한 친구의 <u>문병</u>을 갔다. (④)

①聞病 ②問安 ③門病 ④問病

[설명] ◎問病(문병): 앓는 사람을 찾아가 위로함.

※ 물음에 알맞은 답을 고르시오.

45. 어휘의 짜임이 수식관계가 <u>아닌</u> 것은? (③)

①淸風 ②溫氣 ③知新 ④白衣

[설명] ◎淸風(청풍, 맑을 청·바람 풍): 부드럽고 맑은 바람. ◎溫氣(온기, 따뜻할 온·기운 기):따뜻한 기운. ◎白衣(백의, 흰 백·옷 의): 「1」 흰옷. 「2」 베옷. 이상은 모두 앞 글자가 뒤 글자를 꾸며주는 '수식관계'이다. ◎知新(지신, 알지·새로울 신): 새로운 것을 앎. 이는 "~을 ~하다"로 풀이되는 '술목관계'이다.

46. 유의어의 연결이 바르지 <u>않은</u> 것은? (④)

①平等=同等 ②洗手=洗面
③農地=農土 ④本院=分院

[설명] ◎本院(본원): 「1」 병원, 학원 따위의 으뜸이 되는 곳을 그 분원(分院)에 상대하여 이르는 말. 「2」 말하는 이가 공식적인 자리에서 자기가 관계하고 있는 병원, 학원 따위를 이르는 말. ◎分院(분원): 본원에서 따로 나누어 설치한 하부 기관.

47. '放學'의 반의어는? (①)

①開學 ②休校 ③開放 ④休學

[설명] ◎放學(방학): 일정 기간 동안 수업을 쉬는 일. 또는 그 기간. 주로 학교에서 학기나 학년이 끝난 뒤 또는 더위, 추위가 심할 때 실시한다. ↔ ◎開學(개학): 「1」 학교에서 방학, 휴교 따위로 한동안 쉬었다가 다시 수업을 시작함. 「2」 새로 만든 학교에서 처음으로 수업이나 사무를 시작함.

48. "山戰水戰"의 속뜻으로 알맞은 것은? (④)

①싸울 때마다 이김. ②전쟁이 끊이지 않음.
③힘에 겨운 싸움을 함.
④세상의 온갖 고생과 어려움을 겪음.

[설명] ◎山戰水戰(산전수전): 산에서도 싸우고 물에서도 싸웠다는 뜻으로, 세상의 온갖 고생과 어려움을 다 겪었음을 이르는 말.

49. 우리의 전통문화를 이해하기 위한 방법으로 바르지 <u>않은</u> 것은? (①)

①옛날 것보다는 지금 것이 훨씬 좋다고만 생각한다.
②우리 문화가 소중한 것임을 잊지 않는다.
③현장 학습을 통해서 잘 살펴본다.
④관련 서적을 통해 간접 경험을 해 본다.

50. 우리 고유의 민속 명절이 <u>아닌</u> 것은? (④)

①중추절 ②설날 ③단오절 ④제헌절

[설명] ◎제헌절: 우리나라의 헌법을 제정·공포한 것을 기념하기 위하여 제정한 국경일. 7월 17일이다.

♣ 수고하셨습니다.

모 | 범 | 답 | 안 9회

■ 다음 물음에 맞는 답의 번호를 골라 답안지의 해당 답란에 표시하시오.

※ 한자의 훈음으로 바른 것을 고르시오.

1. 的 (②) ①빛 색 ②과녁 적 ③마을 리 ④고을 주
[설명] ◎色(빛 색), 里(마을 리), 州(고을 주).
2. 再 (④) ①가을 추 ②풀 초 ③매양 매 ④두 재
[설명] ◎秋(가을 추), 草(풀 초), 每(매양 매).
3. 德 (②) ①밤 야 ②덕 덕 ③은 은 ④공변될 공
[설명] ◎夜(밤 야), 銀(은 은), 公(공변될 공).
4. 黑 (②) ①으뜸 원 ②검을 흑 ③알 지 ④셈 산
[설명] ◎元(으뜸 원), 知(알지), 算(셈 산).
5. 仕 (③) ①재주 술 ②가까울 근 ③벼슬할 사 ④지을 작
[설명] ◎術(재주 술), 近(가까울 근), 作(지을 작).
6. 客 (④) ①통할 통 ②편안할 안 ③밭 전 ④손님 객
[설명] ◎通(통할 통), 安(편안할 안), 田(밭 전).
7. 綠 (④) ①기 기 ②그럴 연 ③글자 자 ④푸를 록
[설명] ◎旗(기 기), 然(그럴 연), 字(글자 자).
8. 材 (③) ①쉴 휴 ②나무 목 ③재목 재 ④있을 재
[설명] ◎休(쉴 휴), 木(나무 목), 在(있을 재).
9. 省 (③) ①쌀 미 ②오얏 리 ③살필 성 ④이룰 성
[설명] ◎米(쌀 미), 李(오얏 리), 成(이룰 성).
10. 思 (③) ①낮 오 ②번개 전 ③생각 사 ④조개 패
[설명] ◎午(낮 오), 電(번개 전), 貝(조개 패).

※ 훈음에 맞는 한자를 고르시오.

11. 하여금 사 (①) ①使 ②空 ③消 ④角
[설명] ◎空(빌 공), 消(사라질 소), 角(뿔 각).
12. 집 원 (④) ①工 ②部 ③室 ④院
[설명] ◎工(장인 공), 部(거느릴 부), 室(집 실).
13. 정할 정 (④) ①半 ②村 ③住 ④定
[설명] ◎半(절반 반), 村(마을 촌), 住(살 주).
14. 들 야 (③) ①首 ②用 ③野 ④夏
[설명] ◎首(머리 수), 用(쓸 용), 夏(여름 하).
15. 복 복 (①) ①福 ②朴 ③記 ④青
[설명] ◎朴(순박할 박), 記(기록할 기), 青(푸를 청).
16. 잃을 실 (①) ①失 ②夫 ③雲 ④牛
[설명] ◎夫(지아비 부), 雲(구름 운), 牛(소 우).
17. 받들 봉 (②) ①理 ②奉 ③央 ④區
[설명] ◎理(다스릴 리), 央(가운데 앙), 區(나눌 구).
18. 어제 작 (④) ①朝 ②左 ③少 ④昨
[설명] ◎朝(아침 조), 左(왼 좌), 少(적을 소).
19. 채울 충 (①) ①充 ②重 ③京 ④毛
[설명] ◎重(무거울 중), 京(서울 경), 毛(털 모).
20. 얼음 빙 (①) ①冰 ②者 ③道 ④永
[설명] ◎者(놈 자), 道(길 도), 永(길 영).

※ 물음에 알맞은 답을 고르시오.

21. 나무 위에 가로획을 그어 '나무 끝'의 뜻을 나타내는 한자는? (③)
①木 ②校 ③末 ④科
[설명] ◎末(끝 말).
22. 어휘의 독음이 바르지 않은 것은? (④)
①題目(제목) ②所有(소유)
③軍士(군사) ④功勞(공노)
[설명] ◎功勞(공로, 공 공·수고로울 로): 일을 마치거나 목적을 이루는 데 들인 노력과 수고. 또는 일을 마치거나 그 목적을 이룬 결과로서의 공적.
23. "人力車"에서 밑줄 친 '車'의 훈음으로 바른 것은? (①)
①수레 거 ②수래 차 ③수레 가 ④차례 차
[설명] ◎車(거·차): 수레, 수레바퀴, 수레를 모는 사람, 이틀, 치은(齒齦: 잇몸) (거) / 수레, 수레바퀴, 수레를 모는 사람, 이틀, 치은(齒齦: 잇몸), 장기(將棋·將碁)의 말 (차). ◎人力車(인력거): 사람이 끄는, 바퀴가 두 개 달린 수레. 주로 사람을 태운다.
24. '雪'을(를) 자전에서 찾을 때의 방법으로 바르지 않은 것은? (③)
①총획으로 찾을 때는 '11획'에서 찾는다.
②자음으로 찾을 때는 '설'음에서 찾는다.
③부수로 찾을 때는 '彐'부수 8획에서 찾는다.

④부수로 찾을 때는 '雨'부수 3획에서 찾는다.
[설명] ◎雪(눈 설): 雨(비 우, 8획)부수의 3획, 총11획.

25. '賣'의 반의자는? (④)
①頭 ②强 ③立 ④買
[설명] ◎賣(팔 매) ↔ 買(살 매).

26. '海'의 유의자는? (③)
①物 ②數 ③洋 ④魚
[설명] ◎海(바다 해) = 洋(큰바다 양).

27. "□古, □初, □平"에서 □안에 공통으로 들어갈 알맞은 한자는? (②)
①郡 ②太 ③萬 ④始
[설명] ◎太古(태고): 아득한 옛날. ◎太初(태초): 하늘과 땅이 생겨난 맨 처음. ◎太平(태평): 「1」 나라가 안정되어 아무 걱정 없고 평안함. 「2」 마음에 아무 근심 걱정이 없음.

※ 어휘의 독음이 바른 것을 고르시오.

28. 訓育 (①) ①훈육 ②양육 ③양시 ④훈시
[설명] ◎訓育(훈육): 품성이나 도덕 따위를 가르쳐 기름.

29. 運河 (④) ①군가 ②군하 ③운가 ④운하
[설명] ◎運河(운하): 배의 운항이나 수리(水利), 관개(灌漑) 따위를 위하여 육지에 파 놓은 물길.

30. 同根 (③) ①동량 ②동곤 ③동근 ④동기
[설명] ◎同根(동근): 「1」 근본(根本)이 같음. 또는 같은 근본. 「2」 그 자라난 뿌리가 같음.

31. 洗手 (②) ①유세 ②세수 ③지면 ④선면
[설명] ◎洗手(세수): 손이나 얼굴을 씻음.

32. 無禮 (①) ①무례 ②무료 ③무상 ④무사
[설명] ◎無禮(무례): 태도나 말에 예의가 없음.

33. 苦待 (②) ①기대 ②고대 ③고시 ④기시
[설명] ◎苦待(고대): 몹시 기다림.

34. 風速 (④) ①풍기 ②풍지 ③풍향 ④풍속
[설명] ◎風速(풍속): 바람의 속도.

※ 어휘의 뜻으로 알맞은 것을 고르시오.

35. 白紙 (③)
①빛깔이 흰 술. ②깨끗하고 맑은 물.
③흰 종이. ④털의 빛깔이 흰 사슴.

36. 凶年 (②)
①농작물이 잘 되는 해.
②농작물이 잘되지 아니하여 굶주리게 된 해.
③운이 좋은 나이. ④행복하지 아니한 일.

37. 童詩 (④)
①시인의 음악. ②어린이를 만나는 때.
③동쪽으로 간 시인. ④어린이가 지은 시.

※ 낱말을 한자로 바르게 쓴 것을 고르시오.

38. 승리: 겨루어서 이김. (③)
①全勝 ②勝戰 ③勝利 ④百勝

39. 명의: 병을 잘 고치는 이름난 의사. (③)
①名衣 ②各衣 ③名醫 ④各醫

※ 밑줄 친 어휘의 알맞은 독음을 고르시오.

40. 전교생이 학교 뒷산으로 <u>植樹</u>을(를) 나갔다. (③)
①수식 ②지금 ③식수 ④직수
[설명] ◎植樹(식수): 나무를 심음. 또는 심은 나무.

※ 다음 면에 계속

41. 사업에 실패한 <u>要因</u>을(를) 찾아 분석하여라. (④)
①이유 ②요소 ③원인 ④요인
[설명] ◎要因(요인): 사물이나 사건이 성립되는 까닭. 또는 조건이 되는 요소.

42. 우리나라는 <u>原油</u>을(를) 수입한다. (②)
①원화 ②원유 ③한지 ④한우
[설명] ◎原油(원유): 땅속에서 뽑아낸, 정제하지 아니한 그대로의 기름. 적갈색 내지 흑갈색을 띠는 점도가 높은 유상(油狀) 물질로 탄화수소를 주성분으로 하여 황, 질소, 산소 화합물 따위가 섞인 혼합물이다. 여러 가지 석유 제품, 석유 화학 공업의 원료로 쓴다.

※ 밑줄 친 부분을 한자로 바르게 쓴 것을 고르시오.

43. 시청 앞에서 <u>손녀</u>를 만나기로 했다. (④)
①長女 ②長孫 ③男女 ④孫女
[설명] ◎孫女(손녀): 아들의 딸. 또는 딸의 딸.

44. 아침마다 <u>신문</u>을 읽는다. (②)
①神門 ②新聞 ③臣聞 ④新門
[설명] ◎新聞(신문): 「1」 새로운 소식이나 견문. 「2」 사회에서 발생한 사건에 대한 사실이나 해설을 널리 신속하게 전달하기 위한 정기 간행물. 일반적으로는

일간으로 사회 전반의 것을 다루는 것을 말하지만, 주간・순간・월간으로 발행하는 것도 있으며, 기관지・전문지・일반 상업지 따위도 있다.

※ 물음에 알맞은 답을 고르시오.

45. 어휘의 짜임이 다른 것은? (①)
①今日 ②前後 ③問答 ④本末
[설명] ◎前後(전후, 앞 전・뒤 후):「1」앞뒤.「2」일정한 때나 수량에 약간 모자라거나 넘는 것. ◎問答(문답, 물을 문・대답 답): 물음과 대답. 또는 서로 묻고 대답함. ◎本末(본말):「1」사물이나 일의 처음과 끝.「2」사물이나 일의 중요한 부분과 중요하지 않은 부분. 이상은 모두 '상대병렬관계'이다. ◎今日(금일, 이제 금・날 일): 오늘. 지금 지나가고 있는 이날. 이는 앞 글자가 뒤 글자를 꾸며주는 '수식관계'이다.

46. '不法'의 반의어는? (③)
①班法 ②有法 ③合法 ④便法
[설명] ◎不法(불법): 법에 어긋남. ↔ ◎合法(합법): 법령이나 규범에 적합함.

47. '品位'의 유의어는? (①)
①品格 ②正品 ③正格 ④一品
[설명] ◎品位(품위):「1」직품(職品)과 직위를 아울러 이르는 말.「2」사람이 갖추어야 할 위엄이나 기품.「3」사물이 지닌 고상하고 격이 높은 인상.「4」금화나 은화가 함유하고 있는 금・은의 비례.「5」광석 안에 들어 있는 금속의 정도. 특히 다이아몬드의 품질을 나타내는 등급이다.「6」어떤 물품의 질적 수준. = ◎品格(품격):「1」사람 된 바탕과 타고난 성품.「2」사물 따위에서 느껴지는 품위.

48. "떨어지는 꽃과 흐르는 물"을 뜻하는 성어는 '□花流水'이다. □안에 들어갈 알맞은 한자는? (①)
①落 ②英 ③樂 ④社
[설명] ◎落花流水(낙화유수): 떨어지는 꽃과 흐르는 물.

49. 우리의 전통 문화를 이해하고 발전시키는 방법으로 바르지 못한 것은? (③)
①우리 것에 대한 긍지와 자부심을 갖는다.
②상호 이해를 통한 문화 교류가 필요하다.
③우리의 전통 문화만을 고집한다.
④참고 문헌을 통하여 관심과 정보를 얻는다.

50. 호칭과 그 지칭하는 대상의 연결이 바르지 못한 것은? (③)
①子女-아들과 딸. ②祖父-할아버지.
③高祖-아버지의 할아버지. ④三寸-아버지의 형제.
[설명] ◎高祖(고조): 고조할아버지. 할아버지의 할아버지를 이르는 말.

♣ 수고하셨습니다.

* 準四級漢字

실전대비문제

모|범|답|안 10회

■ 다음 물음에 맞는 답의 번호를 골라 답안지의 해당 답란에 표시하시오.

※ 한자의 훈음으로 바른 것을 고르시오.

1. 雲 (②) ①흉할 흉 ②구름 운 ③뒤 후 ④그럴 연

[설명] ◎凶(흉할 흉), 後(뒤 후), 然(그럴 연).

2. 因 (④) ①나라 국 ②입 구 ③신하 신 ④인할 인

[설명] ◎國(나라 국), 口(입 구), 臣(신하 신).

3. 公 (①) ①공변될 공 ②놈 자 ③저자 시 ④한가지 동

[설명] ◎者(놈 자), 市(저자 시), 同(한가지 동).

4. 紙 (③) ①가운데 앙 ②써 이 ③종이 지 ④나눌 구

[설명] ◎央(가운데 앙), 以(써 이), 區(나눌 구).

5. 飮 (③) ①옷 복 ②양 양 ③마실 음 ④먹을 식

[설명] ◎服(옷 복), 羊(양 양), 食(먹을 식).

6. 野 (①) ①들 야 ②바깥 외 ③오를 등 ④약할 약

[설명] ◎外(바깥 외), 登(오를 등), 弱(약할 약).

7. 州 (①) ①고을 주 ②물댈 주 ③살 주 ④낮 주

[설명] ◎注(물댈 주), 住(살 주), 晝(낮 주).

8. 朴 (②) ①함께 공 ②순박할 박 ③돌이킬 반 ④말씀 화

[설명] ◎共(함께 공), 反(돌이킬 반), 話(말씀 화).

9. 果 (①) ①과실 과 ②이길 승 ③어제 작 ④지날 과

[설명] ◎勝(이길 승), 昨(어제 작), 過(지날 과).

10.郡 (④) ①귀할 귀 ②군사 군 ③향할 향 ④고을 군

[설명] ◎貴(귀할 귀), 軍(군사 군), 向(향할 향).

※ 훈음에 맞는 한자를 고르시오.

11. 역사 사 (④) ①社 ②使 ③思 ④史

[설명] ◎社(모일 사), 使(하여금 사), 思(생각 사).

12. 그칠 지 (②) ①邑 ②止 ③地 ④血

[설명] ◎邑(고을 읍), 地(땅 지), 血(피 혈).

13. 의원 의 (②) ①衣 ②醫 ③立 ④自

[설명] ◎衣(옷 의), 立(설 립), 自(스스로 자).

14. 길할 길 (③) ①通 ②今 ③吉 ④藥

[설명] ◎通(통할 통), 今(이제 금), 藥(약 약).

15. 구할 요 (③) ①億 ②漁 ③要 ④信

[설명] ◎億(억 억), 漁(고기잡을 어), 信(믿을 신).

16. 예도 례 (③) ①例 ②消 ③禮 ④亡

[설명] ◎例(법식 례), 消(사라질 소), 亡(망할 망).

17. 씻을 세 (③) ①流 ②色 ③洗 ④奉

[설명] ◎流(흐를 류), 色(빛 색), 奉(받들 봉).

18. 날쌜 용 (④) ①校 ②永 ③綠 ④勇

[설명] ◎校(학교 교), 永(길 영), 綠(푸를 록).

19. 나무 수 (③) ①兵 ②時 ③樹 ④植

[설명] ◎兵(군사 병), 時(때 시), 植(심을 식).

20. 맺을 결 (②) ①全 ②結 ③肉 ④會

[설명] ◎全(온전할 전), 肉(고기 육), 會(모일 회).

※ 물음에 알맞은 답을 고르시오.

21. "일 년의 끝이 다가오면서 얼음이 어는 때"라 하여 '겨울'을 뜻하는 한자는? (①)
①冬 ②水 ③冰 ④卒

[설명] ◎冬(겨울 동).

22. 어휘의 독음이 바르지 않은 것은? (②)
①相對(상대) ②便法(변법) ③農旗(농기) ④場所(장소)

[설명] ◎便法(편법): 정상적인 절차를 따르지 않은 간편하고 손쉬운 방법.

23. "한자는 畫順에 따라 바르게 써야한다"에서 밑줄 친 '畫'의 훈음으로 바른 것은? (②)
①그을 서 ②그을 획 ③그림 도 ④그림 화

[설명] ◎畫(화·획): 그림, 그리다, 그림으로 장식된 (화) / 긋다, 분할하다, 구분하다, 계획하다, 설계하다, 꾀하다, 계책, 획, 꾀 (획). ◎畫順(획순): 글씨를 쓸 때 획을 긋는 순서.

24. '再'을(를) 자전에서 찾을 때의 방법으로 바르지 않은 것은? (①)
①부수를 찾을 때는 '一'부수 5획에서 찾는다.
②자음으로 찾을 때는 '재'음에서 찾는다.
③부수로 찾을 때는 '冂'부수 4획에서 찾는다.
④총획으로 찾을 때는 '6획'에서 찾는다.

[설명] ◎再(두 재): 冂(멀 경, 2획)부수의 4획, 총6획.

모 | 범 | 답 | 안 10회

25. '算'의 유의자는? (④)
①加 ②界 ③首 ④數
[설명] ◎算(셈 산) = 數(셈 수).

26. '苦'의 반의자는? (②)
①同 ②樂 ③夫 ④神
[설명] ◎苦(괴로울 고) ↔ 樂(즐거울 락).

27. "□口, 江□, 銀□水"에서 □안에 공통으로 들어갈 알맞은 한자는? (④)
①天 ②夏 ③川 ④河
[설명] ◎河口(하구): 강물이 바다로 흘러 들어가는 어귀. ◎江河(강하): 강과 하천을 아울러 이르는 말. ◎銀河水(은하수): 천구(天球) 위에 구름 띠 모양으로 길게 분포되어 있는 수많은 천체의 무리.

※ 어휘의 독음이 바른 것을 고르시오.

28. 事典 (①) ①사전 ②사곡 ③행곡 ④법전
[설명] ◎事典(사전): 여러 가지 사항을 모아 일정한 순서로 배열하고 그 각각에 해설을 붙인 책.

29. 參席 (①) ①참석 ②참여 ③참도 ④삼도
[설명] ◎參席(참석): 모임이나 회의 따위의 자리에 참여함.

30. 的中 (③) ①청중 ②작중 ③적중 ④백중
[설명] ◎的中(적중): 「1」 화살 따위가 목표물에 맞음. 「2」 예상이나 추측 또는 목표 따위에 꼭 들어맞음.

31. 良心 (②) ①초심 ②양심 ③량심 ④고심
[설명] ◎良心(양심): 사물의 가치를 변별하고 자기의 행위에 대하여 옳고 그름과 선과 악의 판단을 내리는 도덕적 의식.

32. 可能 (④) ①하등 ②능가 ③가비 ④가능
[설명] ◎可能(가능): 할 수 있거나 될 수 있음.

33. 勞動 (②) ①로농 ②노동 ③노농 ④로동
[설명] ◎勞動(노동): 「1」 『경제』 사람이 생활에 필요한 물자를 얻기 위하여 육체적 노력이나 정신적 노력을 들이는 행위. 「2」 몸을 움직여 일을 함.

34. 番號 (③) ①반호 ②번범 ③번호 ④향호
[설명] ◎番號(번호): 차례를 나타내거나 식별하기 위해 붙이는 숫자.

※ 어휘의 뜻으로 알맞은 것을 고르시오.

35. 責任 (②)
①일정한 지위나 임무를 남에게 맡김.
②맡아서 해야 할 임무나 의무.
③잘못을 캐묻고 꾸짖음. ④목적을 가지고 주장함.

36. 開始 (④)
①새로 나라를 세움. ②문을 열고 닫음.
③맨 처음이 되는 조상. ④행동이나 일을 시작함.

37. 生必品 (①)
①일상생활에 반드시 있어야 할 물품.
②생명을 보호함.
③생활하는 데 드는 비용. ④생산되는 물건.

※ 낱말을 한자로 바르게 쓴 것을 고르시오.

38. 발전: 전기를 일으킴. (④)
①發前 ②發田 ③發全 ④發電

39. 활로: 고난을 헤치고 살아나갈 길. (③)
①注路 ②草路 ③活路 ④活力

※ 밑줄 친 어휘의 알맞은 독음을 고르시오.

40. 사람을 대할 때에는 얼굴빛을 <u>溫和</u>하게 한다. (③)
①온유 ②인자 ③온화 ④유화
[설명] ◎溫和(온화): 「1」 날씨가 맑고 따뜻하며 바람이 부드럽다. 「2」 성격, 태도 따위가 온순하고 부드럽다.

41. 포옹은 <u>西洋式</u> 인사이다. (①)
①서양식 ②서양무 ③서구식 ④주양식
[설명] ◎西洋式(서양식): 서양의 양식이나 격식.

42. 지구의 적도 이북을 <u>北半球</u>(이)라 한다. (②)
①북평구 ②북반구 ③남반구 ④분계선
[설명] ◎北半球(북반구): 적도를 경계로 지구를 둘로 나누었을 때의 북쪽 부분.

※ 다음 면에 계속

※ 밑줄 친 부분을 한자로 바르게 쓴 것을 고르시오.

43. 영희는 <u>학습</u> 태도가 좋다. (②)
①速讀 ②學習 ③習讀 ④朝讀
[설명] ◎學習(학습): 배워서 익힘.

44. 이번 사안을 신속하게 <u>결정</u>해야 한다. (④)
①決第 ②敬定 ③決正 ④決定
[설명] ◎決定(결정): 「1」 행동이나 태도를 분명하게 정함. 또는 그렇게 정해진 내용. 「2」 『법률』 법원이 행하는 판결・명령 이외의 재판.

※ 물음에 알맞은 답을 고르시오.

45. 어휘의 짜임이 <u>다른</u> 것은? (③)
①老病 ②黑人 ③教訓 ④青山

[설명] ◎教訓(교훈, 가르칠 교·가르칠 훈): 앞으로의 행동이나 생활에 지침이 될 만한 것을 가르침. 이는 비슷한 뜻의 한자로 이루어진 '유사병렬관계'이다. ◎老病(노병, 늙을 로·병 병): 늙고 쇠약해지면서 생기는 병. ◎黑人(흑인, 검을 흑·사람 인): 「1」 털과 피부의 빛깔이 검은 사람. 「2」 흑색 인종에 속하는 사람. ◎青山(청산, 푸를 청·메 산): 풀과 나무가 무성한 푸른 산. 이상은 모두 앞 글자가 뒤 글자를 꾸며주는 '수식관계'이다.

46. '分院'의 반의어는? (④)
①親家 ②分家 ③外家 ④本院

[설명] ◎分院(분원): 본원에서 따로 나누어 설치한 하부 기관. ↔ ◎本院(본원): 병원, 학원 따위의 으뜸이 되는 곳을 그 분원(分院)에 상대하여 이르는 말.

47. '部落'의 유의어는? (③)
①洞落 ②里村 ③村落 ④部村

[설명] ◎部落(부락): 시골에서 여러 민가(民家)가 모여 이룬 마을. 또는 그 마을을 이룬 곳. = ◎村落(촌락): 시골의 작은 마을.

48. "자기 뜻대로 모든 것이 자유롭고 거침이 없음"을 뜻하는 성어는 '自由自□'(이)다. □안에 들어갈 알맞은 한자는? (③)
①告 ②才 ③在 ④材

[설명] ◎自由自在(자유자재): 거침없이 자기 마음대로 할 수 있음.

49. 일상생활에서 孝를 실천하는 방법으로 바르지 <u>않은</u> 것은? (③)
①형제간에 사이좋게 지낸다.
②부모님께 걱정을 끼치지 않는다.
③부모님이 나무라시면 말대꾸를 한다.
④건강한 몸을 유지한다.

50. 漢字를 익히는 방법으로 바르지 <u>않은</u> 것은? (④)
①漢字의 여러 가지 훈음을 익혀본다.
②漢字를 필순에 맞게 쓰도록 한다.
③漢字의 부수와 총획을 익힌다.
④쉽고 쓰기 쉬운 漢字만 익힌다.

*準四級漢字

실전대비문제

모|범|답|안 11회

■ 다음 물음에 맞는 답의 번호를 골라 답안지의 해당 답란에 표시하시오.

※ 한자의 훈음으로 바른 것을 고르시오.

1. 福 (②) ①결단할 결 ②복 복 ③뒤 후 ④지을 작

[설명] ◎決(결단할 결), 後(뒤 후), 作(지을 작).

2. 凶 (④) ①나라 국 ②입 구 ③종이 지 ④흉할 흉

[설명] ◎國(나라 국), 口(입 구), 紙(종이 지).

3. 史 (①) ①역사 사 ②일 업 ③저자 시 ④마을 리

[설명] ◎業(일 업), 市(저자 시), 里(마을 리).

4. 賣 (③) ①살 매 ②써 이 ③팔 매 ④나눌 구

[설명] ◎買(살 매), 以(써 이), 區(나눌 구).

5. 吉 (③) ①가운데 앙 ②양 양 ③길할 길 ④먹을 식

[설명] ◎央(가운데 앙), 羊(양 양), 食(먹을 식).

6. 服 (①) ①옷 복 ②바깥 외 ③오를 등 ④약할 약

[설명] ◎外(바깥 외), 登(오를 등), 弱(약할 약).

7. 院 (①) ①집 원 ②고을 읍 ③살 주 ④낮 주

[설명] ◎邑(고을 읍), 住(살 주), 晝(낮 주).

8. 席 (②) ①함께 공 ②자리 석 ③격식 격 ④말씀 화

[설명] ◎共(함께 공), 格(격식 격), 話(말씀 화).

9. 雪 (①) ①눈 설 ②익힐 습 ③읽을 독 ④지날 과

[설명] ◎習(익힐 습), 讀(읽을 독), 過(지날 과).

10. 注 (④) ①강 강 ②군사 군 ③향할 향 ④물댈 주

[설명] ◎江(강 강), 軍(군사 군), 向(향할 향).

※ 훈음에 맞는 한자를 고르시오.

11. 동산 원 (①) ①園 ②遠 ③位 ④庭

[설명] ◎遠(멀 원), 位(자리 위), 庭(뜰 정).

12. 생각 사 (②) ①等 ②思 ③農 ④別

[설명] ◎等(무리 등), 農(농사 농), 別(다를 별).

13. 순박할 박 (③) ①神 ②英 ③朴 ④室

[설명] ◎神(귀신 신), 英(꽃부리 영), 室(집 실).

14. 붉을 적 (③) ①老 ②黑 ③赤 ④空

[설명] ◎老(늙을 로), 黑(검을 흑), 空(빌 공).

15. 손자 손 (②) ①番 ②孫 ③號 ④信

[설명] ◎番(차례 번), 號(이름 호), 信(믿을 신).

16. 법 법 (④) ①洗 ②去 ③式 ④法

[설명] ◎洗(씻을 세), 去(갈 거), 式(법 식).

17. 아이 아 (③) ①女 ②夜 ③兒 ④夕

[설명] ◎女(여자 녀), 夜(밤 야), 夕(저녁 석).

18. 벼슬할 사 (④) ①輕 ②四 ③使 ④仕

[설명] ◎輕(가벼울 경), 四(넉 사), 使(하여금 사).

19. 재목 재 (③) ①兵 ②加 ③材 ④植

[설명] ◎兵(군사 병), 加(더할 가), 植(심을 식).

20. 인할 인 (②) ①士 ②因 ③全 ④任

[설명] ◎士(선비 사), 全(온전할 전), 任(맡길 임).

※ 물음에 알맞은 답을 고르시오.

21. "아무도 몰래 상대에게 나아가 아낌없이 마음을 준다"라 하여 '사랑, 즐기다, 아끼다'를 뜻하는 한자는? (①)

①愛 ②紙 ③億 ④意

[설명] ◎愛(사랑 애).

22. 어휘의 독음이 바르지 <u>않은</u> 것은? (②)

①交流(교류) ②勞力(오력) ③通路(통로) ④李朝(이조)

[설명] ◎勞力(노력, 수고로울 로·힘 력): 힘을 들여 일함. 두음법칙(일부 소리가 단어의 첫머리에 발음되는 것을 꺼려 다른 소리로 발음되는 일. 'ㅣ, ㅑ, ㅕ, ㅛ, ㅠ' 앞에서의 'ㄹ'과 'ㄴ'이 'ㅇ'이 되고, 'ㅏ, ㅓ, ㅗ, ㅜ, ㅡ, ㅐ, ㅔ, ㅚ' 앞의 'ㄹ'은 'ㄴ'으로 변하는 것 따위이다.)에 의해 '로'를 '노'로 읽는다.

23. "卒業은 또 다른 시작이다"에서 밑줄 친 '卒'의 훈음으로 알맞은 것은? (①)

①마칠 졸 ②하인 졸 ③죽을 졸 ④군사 졸

[설명] ◎卒(졸·쉬): 마칠, 죽을, 끝낼, 모두, 죄다, 갑자기, 별안간, 돌연히, 마침내, 드디어, 기어이, 무리, 집단, 백 사람, 군사, 병졸, 하인, 심부름꾼, 나라, 마을(졸) / 버금 (쉬). ◎卒業(졸업):「1」학생이 규정에 따라 소정의 교과 과정을 마침.「2」어떤 일이나 기술, 학문 따위에 통달하여 익숙해짐.

24. '物'을(를) 자전에서 찾을 때의 방법으로 바르지 않은 것은? (①)
①부수를 찾을 때는 '勿'부수 4획에서 찾는다.
②자음으로 찾을 때는 '물'음에서 찾는다.
③부수로 찾을 때는 '牛'부수 4획에서 찾는다.
④총획으로 찾을 때는 '8획'에서 찾는다.
[설명] ◎物(물건 물): 牛(소 우, 4획)부수의 4획, 총8획.

25. '始'의 유의자는? (④)
①加 ②風 ③表 ④初
[설명] ◎始(처음 시) = 初(처음 초).

26. '苦'의 반의자는? (②)
①孝 ②樂 ③別 ④番
[설명] ◎苦(괴로울 고) ↔ 樂(즐거울 락).

27. "□地, 夕□, 太□"에서 □안에 공통으로 들어갈 알맞은 한자는? (①)
①陽 ②休 ③夏 ④秋
[설명] ◎陽地(양지):「1」볕이 바로 드는 곳.「2」혜택을 받는 입장을 비유적으로 이르는 말. ◎夕陽(석양): 저녁때의 햇빛. 또는 저녁때의 저무는 해. ◎太陽(태양):『천문』태양계의 중심이 되는 항성. 지구에서 가장 가까운 거리에 있으며, 자전 주기는 약 25일이며 막대한 에너지를 방출하는 중심핵, 그 바깥쪽에 있는 복사층과 대류층, 그리고 빛을 직접 바깥으로 방출하는 광구·채층·코로나를 포함하는 대기층으로 이루어져 있다.

※ 어휘의 독음이 바른 것을 고르시오.

28. 溫氣 (④) ①온도 ②기온 ③온난 ④온기
[설명] ◎溫氣(온기): 따뜻한 기운.

29. 野心 (①) ①야심 ②이심 ③아심 ④여심
[설명] ◎野心(야심):「1」순하게 길이 들지 않고 걸핏하면 해치려는 마음.「2」무엇을 이루어 보겠다고 마음속에 품고 있는 욕망이나 소망.「3」벼슬을 버리고 전원에 묻히려는 마음.「4」야비한 마음.

30. 醫事 (③) ①이사 ②병리 ③의사 ④병사
[설명] ◎醫事(의사): 의료에 관한 일.

31. 元首 (②) ①형수 ②원수 ③완수 ④원도
[설명] ◎元首(원수): 국가 원수.

32. 三者 (②) ①삼작 ②삼자 ③삼지 ④삼저
[설명] ◎三者(삼자): 세 사람.

33. 級友 (①) ①급우 ②지우 ③사우 ④반우
[설명] ◎級友(급우): 같은 학급에서 함께 공부하는 친구.

34. 落第 (③) ①낙엽 ②악제 ③낙제 ④락엽
[설명] ◎落第(낙제):「1」진학 또는 진급을 못함.「2」시험이나 검사 따위에 떨어짐.「3」일정한 기준에 미치지 못함을 비유적으로 이르는 말.

※ 어휘의 뜻으로 알맞은 것을 고르시오.

35. 再昨年 (②)
①다시 일을 시작한 해 ②지난해의 바로 전 해
③두 번째로 맞이하는 해 ④한 해의 마지막 날

36. 美食家 (④)
①중화요리 전문점 ②아름답게 잘 꾸민 집
③아무런 음식이나 가리지 않고 먹는 사람
④맛있는 음식만 가려먹는 취미를 가진 사람

37. 黑字 (①)
①수입이 지출보다 많아서 생기는 잉여나 이익
②돈만 있으면 만사를 뜻대로 할 수 있음
③음흉하고 부정한 마음 ④바둑돌의 검은 알

※ 낱말을 한자로 바르게 쓴 것을 고르시오.

38. 덕성: 어질고 너그러운 성질. (②)
①德姓 ②德性 ③性向 ④習性

39. 제목: 작품이나 강연 등에서, 그것을 대표하거나 내용을 보이기 위하여 붙이는 이름. (③)
①弟木 ②州目 ③題目 ④題木

※ 밑줄 친 어휘의 알맞은 독음을 고르시오.

40. 시력이 좋지 않아 <u>度數</u>이(가) 높은 안경을 썼다. (③)
①도산 ②정도 ③도수 ④석수
[설명] ◎度數(도수):「1」거듭하는 횟수.「2」각도, 온도, 광도 따위의 크기를 나타내는 수.「3」일정한 정도나 한도.「4」『수학』통계 자료의 각 계급에 해당하는 변량의 수량.

41. 우리 반은 오늘 민속박물관을 <u>見學</u>했다. (①)
①견학 ②시찰 ③관람 ④방문
[설명] ◎見學(견학): 실지로 보고 그 일에 관한 구체적인 지식을 넓힘.

42. 계속해서 교장선생님의 <u>訓示</u>가 있었다. (②)
①훈화 ②훈시 ③교화 ④지시
[설명] ◎訓示(훈시): 가르쳐 보이거나 타이름.

모|범|답|안 11회

※ 다음 면에 계속

※ 밑줄 친 부분을 한자로 바르게 쓴 것을 고르시오.

43. 그는 마침내 결실의 기쁨을 느꼈다. (②)
①合格 ②結實 ③果實 ④決果

[설명] ◎結實(결실): 일의 결과가 잘 맺어짐. 또는 그런 성과.

44. 사람의 운명은 알 수 없는 것이다. (①)
①運命 ②動命 ③運名 ④雲命

[설명] ◎運命(운명): 「1」 인간을 포함한 모든 것을 지배하는 초인간적인 힘. 또는 그것에 의하여 이미 정하여져 있는 목숨이나 처지. 「2」 앞으로의 생사나 존망에 관한 처지.

※ 물음에 알맞은 답을 고르시오.

45. 어휘의 짜임이 다른 것은? (③)
①良書 ②一口 ③天地 ④千金

[설명] ◎良書(양서, 어질 량·글 서): 내용이 교훈적이거나 건전한 책. ◎一口(일구, 한 일·입 구): 「1」 단 한 사람. 「2」 여러 사람의 똑같은 말. 「3」 한 마디의 말. 「4」 한 입. ◎千金(천금, 일천 천·쇠 금): 「1」 많은 돈이나 비싼 값을 비유적으로 이르는 말. 「2」 아주 귀중한 것을 비유적으로 이르는 말. 이상은 앞 글자가 뒤 글자를 꾸며주는 '수식관계'이다. ◎天地(천지, 하늘 천·땅 지): 「1」 하늘과 땅을 아울러 이르는 말. 「2」 '세상', '우주', '세계'의 뜻으로 이르는 말. 「3」 대단히 많음. 이는 서로 반대의 뜻의 한자로 이루어진 '병렬관계'이다.

46. '前半'의 반의어는? (④)
①後班 ②前班 ③前反 ④後半

[설명] ◎前半(전반): 전체를 반씩 둘로 나눈 것의 앞쪽 반. ↔ ◎後半(후반): 전체를 반씩 둘로 나눈 것의 뒤쪽 반.

47. '同窓'의 유의어는? (③)
①洞落 ②里村 ③同門 ④同里

[설명] ◎同窓(동창): 같은 학교에서 공부를 한 사이. = ◎同門(동문): 같은 학교에서 수학하였거나 같은 스승에게서 배운 사람.

48. "하는 일이나 태도가 사사로움이나 그릇됨이 없이 아주 정당하고 떳떳함"을 뜻하는 성어는 '□明正大'이다. □안에 들어갈 알맞은 한자는? (②)
①共 ②公 ③工 ④功

[설명] ◎公明正大(공명정대): 하는 일이나 태도가 사사로움이나 그릇됨이 없이 아주 정당하고 떳떳함.

49. 電話하는 예절로 바르지 않은 것은? (③)
①먼저 自己가 누구인지를 밝히고 人事를 한다.
②잘못 걸었을 때는 정중하게 사과를 한다.
③거칠고 사나운 목소리로 對答한다.
④웃어른과 通話할 때에는 알맞은 높임말을 쓴다.

50. 出入할 때의 예절로 바르지 않은 것은? (④)
①門을 열고 닫을 때에는 두 손으로 공손히 한다.
②出入할 때에는 문턱을 밟지 않는다.
③노크나 인기척을 내어 상대방에게 出入을 알린다.
④門을 열고 닫을 때에는 소리가 크게 나도록 한다.

♣ 수고하셨습니다.

모범답안 12회

■ 다음 물음에 맞는 답의 번호를 골라 답안지의 해당 답란에 표시하시오.

※ 한자의 훈음으로 바른 것을 고르시오.

1. 發 (②) ①놓을 방 ②필 발 ③절반 반 ④모 방
[설명] ◎放(놓을 방), 半(절반 반), 方(모 방).
2. 號 (②) ①누를 황 ②이름 호 ③피 혈 ④나라 국
[설명] ◎黃(누를 황), 血(피 혈), 國(나라 국).
3. 朴 (④) ①나눌 반 ②근본 본 ③재목 재 ④순박할 박
[설명] ◎班(나눌 반), 本(근본 본), 材(재목 재).
4. 赤 (③) ①언덕 원 ②멀 원 ③붉을 적 ④가까울 근
[설명] ◎原(언덕 원), 遠(멀 원), 近(가까울 근).
5. 臣 (④) ①더할 가 ②높을 고 ③알릴 고 ④신하 신
[설명] ◎加(더할 가), 高(높을 고), 告(알릴 고).
6. 者 (②) ①효도 효 ②놈 자 ③모일 회 ④늙을 로
[설명] ◎孝(효도 효), 會(모일 회), 老(늙을 로).
7. 如 (①) ①같을 여 ②말씀 언 ③성씨 성 ④예 고
[설명] ◎言(말씀 언), 姓(성씨 성), 古(예 고).
8. 第 (④) ①아우 제 ②살 주 ③아침 조 ④차례 제
[설명] ◎弟(아우 제), 住(살 주), 朝(아침 조).
9. 考 (③) ①기록할 기 ②올 래 ③상고할 고 ④갈 거
[설명] ◎記(기록할 기), 來(올 래), 去(갈 거).
10. 兒 (③) ①가운데 앙 ②빛 광 ③아이 아 ④아이 동
[설명] ◎央(가운데 앙), 光(빛 광), 童(아이 동).

※ 훈음에 맞는 한자를 고르시오.

11. 등급 급 (①) ①級 ②急 ③等 ④登
[설명] ◎急(급할 급), 等(무리 등), 登(오를 등).
12. 지경 계 (③) ①直 ②田 ③界 ④曲
[설명] ◎直(곧을 직), 田(밭 전), 曲(굽을 곡).
13. 살 매 (①) ①買 ②賣 ③場 ④院
[설명] ◎賣(팔 매), 場(마당 장), 院(집 원).
14. 펼 전 (④) ①寸 ②區 ③九 ④展
[설명] ◎寸(마디 촌), 區(나눌 구), 九(아홉 구).
15. 군사 졸 (④) ①兵 ②軍 ③病 ④卒
[설명] ◎兵(군사 병), 軍(군사 군), 病(병 병).
16. 복 복 (③) ①祖 ②德 ③福 ④清
[설명] ◎祖(할아비 조), 德(덕 덕), 清(맑을 청).
17. 될 화 (③) ①花 ②貝 ③化 ④活
[설명] ◎花(꽃 화), 貝(조개 패), 活(살 활).
18. 특별할 특 (②) ①線 ②特 ③性 ④旗
[설명] ◎線(줄 선), 性(성품 성), 旗(기 기).
19. 뿌리 근 (①) ①根 ②秋 ③教 ④村
[설명] ◎秋(가을 추), 教(가르칠 교), 村(마을 촌).
20. 길 로 (④) ①吉 ②空 ③洞 ④路
[설명] ◎吉(길할 길), 空(빌 공), 洞(고을 동).

※ 물음에 알맞은 답을 고르시오.

21. "나무 위에 새가 모여서 앉아 있는 것"을 나타낸 글자로 '모이다'를 뜻하는 한자는? (③)
①休 ②林 ③集 ④植
[설명] ◎集(모일 집).
22. 밑줄 친 한자의 독음이 <u>다른</u> 것은? (④)
①<u>不</u>信 ②<u>不</u>和 ③<u>不</u>利 ④<u>不</u>正
[설명] ◎不(불·부): 아닐, 아니할, 못할, 없을, 말라, 아니하냐, 이르지 아니할, 클, 불통, 꽃받침, 꽃자루 (불) / 아닐, 아니할, 못할, 없을, 말라, 아니하냐, 이르지 아니할, 클, 불통 (부). ◎不信(불신): 믿지 아니함. 또는 믿지 못함. ◎不和(불화): 서로 화합하지 못함. 또는 서로 사이좋게 지내지 못함. ◎不利(불리): 이롭지 아니함. 이상은 모두 '불'로 읽음. ◎不正(부정): 올바르지 아니하거나 옳지 못함. 이는 '부'로 읽음. '不'자 뒤에 오는 글자의 초성이 'ㄷ, ㅈ'이면 '不'을 '부'로 읽는다.
23. "과거의 잘못을 깊이 反<u>省</u>하다"에서 밑줄 친 '省'의 훈음으로 알맞은 것은? (②)
①덜 생 ②살필 성 ③허물 생 ④재앙 성
[설명] ◎省(성·생): 살필, 깨달을, 명심할, 관청, 관아, 마을, 대궐 (성) / 덜, 허물, 재앙 (생). ◎反省(반성): 자신의 언행에 대하여 잘못이나 부족함이 없는지 돌이켜 봄.

24. 한자와 부수의 연결이 바르지 않은 것은?(②)
①凶-凵 ②以-丶 ③首-首 ④美-羊
[설명] ◎凶(흉할 흉): 凵(입벌릴 감, 2획)부수의 2획, 총4획. ◎以(써 이): 人(사람 인, 2획)부수의 3획, 총5획. ◎首(머리 수): 제부수, 총9획. ◎美(아름다울 미): 羊(양 양, 6획)부수의 3획, 총9획.

25. '勞'의 반의자는? (②)
①部 ②使 ③動 ④新
[설명] ◎勞(수고로울, 일할 로) ↔ 使(부릴 사).

26. '格'의 유의자는? (①)
①式 ②實 ③勇 ④各
[설명] ◎格(격식, 법식 격) = 式(법 식).

27. "□氣, □度, 室□"에서 □안에 공통으로 들어갈 알맞은 한자는? (③)
①火 ②雲 ③溫 ④内
[설명] ◎溫氣(온기): 따뜻한 기운. ◎溫度(온도): 따뜻함과 차가움의 정도. 또는 그것을 나타내는 수치. 물리적으로는 열평형을 특징짓고 열이 이동하는 경향을 나타내는 양이며, 미시적으로는 계(系)를 구성하는 입자가 가지는 에너지의 분포를 정하고 그 평균값의 표준이 되는 양이다. ◎室溫(실온): 방 안의 온도.

※ 어휘의 독음이 바른 것을 고르시오.

28. 韓藥 (①) ①한약 ②한악 ③한요 ④한낙
[설명] ◎韓藥(한약): 한방에서 쓰는 약. 풀뿌리, 열매, 나무껍질 따위가 주요 약재이다.

29. 事由 (④) ①이유 ②사주 ③자유 ④사유
[설명] ◎事由(사유): 일의 까닭.

30. 勝算 (②) ①권산 ②승산 ③승계 ④권계
[설명] ◎勝算(승산): 이길 수 있는 가능성.

31. 責任 (③) ①청임 ②책사 ③책임 ④청사
[설명] ◎責任(책임): 「1」 맡아서 해야 할 임무나 의무. 「2」 어떤 일에 관련되어 그 결과에 대하여 지는 의무나 부담. 또는 그 결과로 받는 제재(制裁). 「3」 위법한 행동을 한 사람에게 법률적 불이익이나 제재를 가하는 일. 민사 책임과 형사 책임이 있다.

32. 數目 (①) ①수목 ②삭목 ③촉목 ④산목
[설명] ◎數目(수목): 낱낱의 수효.

33. 敬愛 (④) ①공경 ②경로 ③공애 ④경애
[설명] ◎敬愛(경애): 공경하고 사랑함.

34. 英語 (①) ①영어 ②영언 ③영오 ④영문
[설명] ◎英語(영어): 인도·유럽 어족 게르만 어파의 서게르만 어군에 속한 언어. 미국, 영국, 캐나다, 오스트레일리아 등을 비롯하여 세계 여러 나라에서 사용하는 국제어의 구실을 하고 있다.

※ 어휘의 뜻으로 알맞은 것을 고르시오.

35. 參席 (④)
①어떤 세 자리 ②세 가지의 법도
③끼어들어 방해함 ④어떤 자리에 참여함

36. 注文 (③)
①술법을 부릴 때 외는 글귀
②지위가 높은 벼슬아치의 집
③어떤 물건을 만들거나 보내어 달라고 부탁하는 일
④어떤 문장이나 글귀에 주를 붙여 쉽게 풀이한 글

37. 名醫 (②)
①이름난 요리사 ②이름난 의원이나 의사
③특효약 ④역사가 오래된 책

※ 낱말을 한자로 바르게 쓴 것을 고르시오.

38. 풍습: 풍속과 습관. (①)
①風習 ②風樂 ③風速 ④風向

39. 역사: 뛰어나게 힘이 센 사람. (③)
①力史 ②歷史 ③力士 ④歷士

※ 밑줄 친 어휘의 알맞은 독음을 고르시오.

40. 書堂에서는 오랫동안 인성교육을 해왔다.(②)
①사당 ②서당 ③마당 ④학당
[설명] ◎書堂(서당): 글방.

41. 집중 폭우로 河川이(가) 범람하였다. (③)
①유천 ②강천 ③하천 ④하수
[설명] ◎河川(하천): 강과 시내를 아울러 이르는 말.

42. 가장 頭角을 나타낸 사람은 누구입니까? (②)
①수석 ②두각 ③만족 ④불만
[설명] ◎頭角(두각): 「1」 짐승의 머리에 있는 뿔. 「2」 뛰어난 학식이나 재능을 비유적으로 이르는 말.

※ 다음 면에 계속

※ 밑줄 친 부분을 한자로 바르게 쓴 것을 고르시오.

43. 이 책에서는 중세 귀족들의 생활을 엿볼 수 있다. (①)
①貴族 ②親族 ③良族 ④農族

[설명] ◎貴族(귀족): 가문이나 신분 따위가 좋아 정치적·사회적 특권을 가진 계층. 또는 그런 사람.

44. 정오가 다가오자 슬슬 배가 고프다. (④)
①庭園 ②止午 ③因安 ④正午

[설명] ◎正午(정오): 낮 열두 시. 곧 태양이 표준 자오선을 지나는 순간을 이른다.

※ 물음에 알맞은 답을 고르시오.

45. 어휘의 짜임이 '수식 관계'인 것은? (①)
①白雪 ②夏冬 ③生死 ④兄弟

[설명] ◎白雪(백설, 흰 백·눈 설): 하얀 눈. 이는 앞 글자가 뒤 글자를 꾸며주는 '수식관계'이다. ◎夏冬(하동, 여름 하·겨울 동): 여름과 겨울을 아울러 이르는 말. ◎生死(생사, 살 생·죽을 사): 「1」 삶과 죽음을 아울러 이르는 말.「2」 모든 생물이 과거의 업(業)의 결과로 개체를 이루었다가 다시 해체되는 일. 생로병사의 시작과 끝이다. ◎兄弟(형제, 형 형·아우 제): 「1」 형과 아우를 아울러 이르는 말.「2」 동기(同氣). 이상은 서로 상대되는 뜻의 한자로 이루어진 '병렬관계'이다.

46. '立體'의 반의어는? (④)
①客體 ②主體 ③形色 ④平面

[설명] ◎立體(입체): 삼차원의 공간에서 여러 개의 평면이나 곡면으로 둘러싸인 부분. ↔ ◎平面(평면): 「1」 평평한 표면.「2」 일정한 표면 위의 임의의 두 점을 지나는 직선이 항상 그 표면 위에 놓이는 면.

47. 유의어의 연결이 바르지 않은 것은? (①)
①一元=多元 ②亡夫=先夫
③落陽=夕陽 ④入學=入校

[설명] ◎一元(일원):「1」 단원(單元). 단일한 근원이나 실체.「2」 『수학』 한 개의 미지수. ◎多元(다원): 「1」 근원이 많음. 또는 그 근원.「2」 『수학』 여러 개의 미지수.

48. '同苦同樂'의 속뜻으로 알맞은 것은? (③)
①이제야 비로소 처음 들음 ②목숨을 내걸고 반대함
③같이 고생하고 즐김 ④재산이 매우 많은 사람

[설명] ◎同苦同樂(동고동락): 괴로움도 즐거움도 함께함.

49. 한자를 공부하는 학생의 자세로 바른 것은? (②)
①선생님 말씀을 귀담아 듣지 않는다.
②바른 자세로 글을 읽는다.
③한자의 뜻은 무시하고 음만 익힌다.
④획순에 맞게 쓰지 않고 내 맘대로 쓴다.

50. 1년은 모두 몇 절기인가? (④)
①20절기 ②16절기 ③12절기 ④24절기

[설명] ◎二十四節氣(이십사절기): 태양의 황도(黃道) 상의 위치에 따라서 정한 절기. 평기(平氣)로는 오 일을 일후(一候), 삼후(三候)를 일기(一氣), 일 년을 이십사기(二十四氣)로 하며, 정기(定氣)로는 황도를 이십사 등분하여 각 등분점에 태양의 중심이 오는 시기를 가지고 이십사기라고 한다. 입춘, 우수, 경칩, 춘분, 청명, 곡우, 입하, 소만, 망종, 하지, 소서, 대서, 입추, 처서, 백로, 추분, 한로, 상강, 입동, 소설, 대설, 동지, 소한, 대한이다.

♣ 수고하셨습니다.

모 | 범 | 답 | 안 13회

■ 다음 물음에 맞는 답의 번호를 골라 답안지의 해당 답란에 표시하시오.

※ 한자의 훈음으로 바른 것을 고르시오.

1. 要 (①) ①구할 요 ②잠잘 숙 ③굽을 곡 ④여름 하

[설명] ◎宿(잠잘 숙), 曲(굽을 곡), 夏(여름 하).

2. 清 (②) ①과녁 적 ②맑을 청 ③고을 군 ④등급 급

[설명] ◎的(과녁 적), 郡(고을 군), 級(등급 급).

3. 速 (①) ①빠를 속 ②결단할 결 ③지날 과 ④놓을 방

[설명] ◎決(결단할 결), 過(지날 과), 放(놓을 방).

4. 待 (④) ①겨레 족 ②꾸짖을 책 ③덕 덕 ④기다릴 대

[설명] ◎族(겨레 족), 責(꾸짖을 책), 德(덕 덕).

5. 思 (④) ①효도 효 ②역사 사 ③급할 급 ④생각 사

[설명] ◎孝(효도 효), 史(역사 사), 急(급할 급).

6. 定 (②) ①바를 정 ②정할 정 ③뜰 정 ④집 실

[설명] ◎正(바를 정), 庭(뜰 정), 室(집 실).

7. 典 (④) ①전할 전 ②함께 공 ③노래 가 ④법 전

[설명] ◎傳(전할 전), 共(함께 공), 歌(노래 가).

8. 窓 (④) ①인할 인 ②빌 공 ③나눌 구 ④창문 창

[설명] ◎因(인할 인), 空(빌 공), 區(나눌 구).

※ 훈음에 맞는 한자를 고르시오.

9. 아름다울 미 (②) ①李 ②美 ③登 ④赤

[설명] ◎李(오얏 리), 登(오를 등), 赤(붉을 적).

10. 팔 매 (④) ①每 ②旗 ③買 ④賣

[설명] ◎每(매양 매), 旗(기 기), 買(살 매).

11. 공경할 경 (①) ①敬 ②社 ③京 ④結

[설명] ◎社(모일 사), 京(서울 경), 結(맺을 결).

12. 하여금 사 (③) ①仕 ②士 ③使 ④書

[설명] ◎仕(벼슬할 사), 士(선비 사), 書(글 서).

13. 받들 봉 (③) ①福 ②部 ③奉 ④術

[설명] ◎福(복 복), 部(거느릴 부), 術(재주 술).

14. 격식 격 (④) ①植 ②樹 ③果 ④格

[설명] ◎植(심을 식), 樹(나무 수), 果(과실 과).

15. 볕 양 (②) ①院 ②陽 ③洋 ④秋

[설명] ◎院(집 원), 洋(큰바다 양), 秋(가을 추).

※ 물음에 알맞은 답을 고르시오.

16. 사람이 횃불을 들어 밝게 비추는 모습으로 '빛'을 뜻하는 한자는? (④)

①位 ②休 ③明 ④光

[설명] ◎光(빛 광).

17. 밑줄 친 '便'의 훈음이 <u>다른</u> 것은? (④)

①<u>便</u>安 ②<u>便</u>利 ③不<u>便</u> ④<u>便</u>所

[설명] ◎便(편・변): 편할, 아첨할, 쉴, 휴식할, 익힐, 익을, 말 잘할, 소식 (편) / 똥오줌, 오줌을 눌, 곧, 문득 (변). ◎便安(편안): 편하고 걱정 없이 좋음. ◎便利(편리): 편하고 이로우며 이용하기 쉬움. ◎不便(불편): 몸이나 마음이 편하지 아니하고 괴로움. 이상은 모두 '便'의 훈음이 '편할 편'이다. ◎便所(변소): 대소변을 보도록 만들어 놓은 곳. 이는 '便'의 훈음이 '똥오줌 변'이다.

18. "연구 발표회에 토론자로 <u>參席</u>했다"에서 밑줄 친 '參'의 훈음으로 알맞은 것은? (④)

①섞일 삼 ②헤아릴 참 ③석 삼 ④참여할 참

[설명] ◎參(참·삼): 참여하다, 간여하다, 관계하다, 나란하다, 가지런하다, 나란히 서다, 섞이다, 뒤섞다, 헤아리다, 비교하다, 살피다, 탄핵하다, 층나다, 뵈다, 뵙다, 빽빽이 들어서다, 높다, 가지런하지 않다, 무리, 삼공, 삼정승, 여러 사람이 붙좇아 따르는 모양, 가지런하지 않은 모양 (참) / 석, 셋, 별 이름, 인삼, 긴 모양, 길다, 섞이다, 뒤섞다 (삼). ◎參席(참석): 모임이나 회의 따위의 자리에 참여함.

19. '幸'을(를) 자전에서 찾을 때의 방법으로 바르지 <u>않은</u> 것은? (②)

①총획으로 찾을 때는 '8획'에서 찾는다.

②부수로 찾을 때는 '土'부수 5획에서 찾는다.

③부수로 찾을 때는 '干'부수 5획에서 찾는다.

④자음으로 찾을 때는 '행'음에서 찾는다.

[설명] ◎幸(다행 행): 干(방패 간, 3획)부수의 5획, 총8획.

20. '道'의 유의자는? (①)

①路 ②遠 ③然 ④首

모 | 범 | 답 | 안 13회

[설명] ◎道(길 도) = 路(길 로).

21. '吉'의 반의자는? (③)
①童 ②貴 ③凶 ④黑
[설명] ◎吉(길할 길) ↔ 凶(흉할 흉).

22. "文□, 同□, □音"에서 □안에 공통으로 들어갈 알맞은 한자는? (②)
①火 ②字 ③溫 ④卒
[설명] ◎文字(문자): 『언어』 인간의 언어를 적는 데 사용하는 시각적인 기호 체계. 한자 따위의 표의 문자와 로마자, 한글 따위의 표음 문자로 대별된다. ◎同字(동자): 같은 글자. ◎字音(자음): 글자의 음. 흔히 한자의 음을 이른다.

※ 어휘의 독음이 바른 것을 고르시오.

23. 草綠 (①) ①초록 ②화록 ③초연 ④화초
[설명] ◎草綠(초록): 초록색, 초록빛.
24. 反省 (③) ①판정 ②판성 ③반성 ④반생
[설명] ◎反省(반성): 자신의 언행에 대하여 잘못이나 부족함이 없는지 돌이켜 봄.
25. 感性 (②) ①감격 ②감성 ③함정 ④지성
[설명] ◎感性(감성): 「1」 자극이나 자극의 변화를 느끼는 성질. 「2」 『철학』 이성(理性)에 대응되는 개념으로, 외계의 대상을 오관(五官)으로 감각하고 지각하여 표상을 형성하는 인간의 인식 능력.
26. 苦樂 (③) ①구락 ②고요 ③고락 ④구악
[설명] ◎苦樂(고락): 괴로움과 즐거움을 아울러 이르는 말.
27. 服用 (④) ①복동 ②의용 ③육영 ④복용
[설명] ◎服用(복용): 「1」 약을 먹음. 「2」 옷으로 입음.
28. 例事 (②) ①례년 ②예사 ③세차 ④예법
[설명] ◎例事(예사): 보통 있는 일.
29. 河川 (②) ①해류 ②하천 ③해천 ④하류
[설명] ◎河川(하천): 강과 시내를 아울러 이르는 말.
30. 四角 (③) ①서각 ②사방 ③사각 ④서기
[설명] ◎四角(사각): 「1」 네 개의 각. 「2」 네 개의 각이 있는 모양. 「3」 『수학』 사각형.
31. 順理 (③) ①훈이 ②혈리 ③순리 ④누리
[설명] ◎順理(순리): 순한 이치나 도리. 또는 도리나 이치에 순종함.

※ 어휘의 뜻으로 알맞은 것을 고르시오.

32. 重任 (①)
①중대한 임무 ②오랫동안 해온 일
③임무를 져버림 ④중요한 편지
33. 由來 (③)
①흘러 움직임 ②떠내려가서 없어짐
③사물이나 일이 생겨난 바 ④기름이 나는 곳
34. 訓讀 (①)
①한자의 뜻을 새기어 읽음 ②한자의 음을 읽음
③소리 내어 읽음 ④문장의 뜻풀이

※ 낱말을 한자로 바르게 쓴 것을 고르시오.

35. 전개: 열리어 나타남. 내용을 진전시켜 펴 나감. (③)
①電開 ②全開 ③展開 ④前開
36. 상대: 서로 마주 대함. 또는 그런 대상. (①)
①相對 ②相色 ③上代 ④上對
37. 장고: 오랫동안 깊이 생각함. (②)
①長高 ②長考 ③場考 ④場古

※ 밑줄 친 어휘의 알맞은 독음을 고르시오.

38. 기차역에 내일 아침 9시까지 모두 <u>集合</u>해야 한다. (④)
①추금 ②회합 ③집함 ④집합
[설명] ◎集合(집합): 사람들을 한곳으로 모으거나 모임.
39. 복숭아를 <u>加工</u>해서 통조림으로 만들었다. (③)
①생식 ②가능 ③가공 ④인공
[설명] ◎加工(가공): 「1」 원자재나 반제품을 인공적으로 처리하여 새로운 제품을 만들거나 제품의 질을 높임. 「2」 『법률』 남의 소유물에 노력을 가하여 새로운 물건을 만들어 내는 일.
40. 과식을 했더니 <u>消化</u>가 잘 안 된다. (①)
①소화 ②산화 ③초화 ④소비
[설명] ◎消化(소화): 섭취한 음식물을 분해하여 영양분을 흡수하기 쉬운 형태로 변화시키는 일. 또는 그런 작용. 음식물을 씹는 작용에 의한 기계적 소화와 소화 효소에 의한 화학적 소화가 있다.
41. 다음 주에 교내 <u>體育</u> 대회가 열린다. (③)
①교육 ②기술 ③체육 ④체조
[설명] ◎體育(체육): 일정한 운동 따위를 통하여 신체를 튼튼하게 단련시키는 일. 또는 그런 목적으로 하는 운동.

※ 다음 면에 계속

모|범|답|안 13회

※ 밑줄 친 부분을 한자로 바르게 쓴 것을 고르시오.

42. 병원에 있는 친구에게 문병을 다녀왔다. (②)
①問安 ②問病 ③門病 ④聞病
[설명] ◎問病(문병): 앓는 사람을 찾아가 위로함.

43. 고등학교 이상의 학력을 가진 사람만이 그 시험에 응시할 수 있었다. (④)
①話歷 ②韓歷 ③和歷 ④學歷
[설명] ◎學歷(학력): 학교를 다닌 경력.

44. 적당한 운동은 건강에 좋다. (②)
①運命 ②運動 ③雲動 ④運行
[설명] ◎運動(운동): 사람이 몸을 단련하거나 건강을 위하여 몸을 움직이는 일.

※ 물음에 알맞은 답을 고르시오.

45. 서로 비슷한 뜻의 한자로 이루어진 어휘로 바른 것은? (④)
①一言 ②良心 ③青天 ④算數
[설명] ◎一言(일언, 한 일·말씀 언): 한 마디의 말. 또는 한 번 한 말. ◎良心(양심, 어질 량·마음 심): 사물의 가치를 변별하고 자기의 행위에 대하여 옳고 그름과 선과 악의 판단을 내리는 도덕적 의식. ◎青天(청천, 푸를 청·하늘 천): 푸른 하늘. 이상은 모두 앞 글자가 뒤 글자를 꾸며주는 '수식관계'이다. ◎算數(산수, 셈 산·셈 수): 계산하는 방법. 이는 서로 비슷한 뜻의 한자로 이루어진 '유사병렬관계'이다.

46. '兵力'의 유의어는? (④)
①兄弟 ②大刀 ③自力 ④軍力
[설명] ◎兵力(병력): 「1」 군대의 인원. 또는 그 숫자. 「2」 군대의 힘. = ◎軍力(군력): 병력·군비·경제력 따위를 종합한, 전쟁을 수행할 수 있는 능력.

47. '月末'의 반의어는? (①)
①月初 ②本末 ③年末 ④年初
[설명] ◎月末(월말): 그달의 끝 무렵. ↔ ◎月初(월초): 그달의 처음 무렵.

48. "以實直告"의 속뜻으로 알맞은 것은? (②)
①말을 거침없이 잘함 ②사실 그대로 고함
③이치에 맞지 않음
④현실성이 없는 허황한 말
[설명] ◎以實直告(이실직고): 사실 그대로 고함.

49. 웃어른을 대하는 태도로 바르지 않은 것은? (③)
①공손하게 머리를 숙여 인사한다.
②무거운 물건을 들어 드린다.
③묻는 말에 대충 고개만 끄덕인다.
④자리를 양보해 드린다.

50. '대보름'의 풍속이 아닌 것은? (④)
①부럼깨기 ②오곡밥 ③더위팔기 ④부채선물
[설명] ◎대보름: 음력 정월 보름날을 명절로 이르는 말. 새벽에 귀밝이술을 마시고 부럼을 깨물며 약밥, 오곡밥 따위를 먹는다. '부채선물'은 단옷날 행해지는 풍속이다.

♣ 수고하셨습니다.

모|범|답|안 14회

■ 다음 물음에 맞는 답의 번호를 골라 답안지의 해당 답란에 표시하시오.

※ 한자의 훈음으로 바른 것을 고르시오.

1. 界 (②) ①뿔 각 ②지경 계 ③으뜸 원 ④열매 실

[설명] ◎角(뿔 각), 元(으뜸 원), 實(열매 실).

2. 責 (①) ①꾸짖을 책 ②볕 양 ③군사 졸 ④자리 석

[설명] ◎陽(볕 양), 卒(군사 졸), 席(자리 석).

3. 苦 (①) ①괴로울 고 ②집 당 ③인할 인 ④예 고

[설명] ◎堂(집 당), 因(인할 인), 古(예 고).

4. 醫 (③) ①구할 요 ②잠잘 숙 ③의원 의 ④들 야

[설명] ◎要(구할 요), 宿(잠잘 숙), 野(들 야).

5. 術 (④) ①결단할 결 ②열 개 ③익힐 습 ④재주 술

[설명] ◎決(결단할 결), 開(열 개), 習(익힐 습).

6. 結 (③) ①격식 격 ②공경할 경 ③맺을 결 ④공변될 공

[설명] ◎格(격식 격), 敬(공경할 경), 公(공변될 공).

7. 可 (②) ①노래 가 ②옳을 가 ③신하 신 ④입 구

[설명] ◎歌(노래 가), 臣(신하 신), 口(입 구).

8. 州 (②) ①대 죽 ②고을 주 ③쉴 휴 ④겉 표

[설명] ◎竹(대 죽), 休(쉴 휴), 表(겉 표).

※ 훈음에 맞는 한자를 고르시오.

9. 글 장 (④) ①億 ②番 ③場 ④章

[설명] ◎億(억 억), 番(차례 번), 場(마당 장).

10. 이길 승 (①) ①勝 ②服 ③速 ④急

[설명] ◎服(옷 복), 速(빠를 속), 急(급할 급).

11. 법식 례 (③) ①食 ②市 ③例 ④植

[설명] ◎食(먹을 식), 市(저자 시), 植(심을 식).

12. 법 전 (②) ①里 ②典 ③農 ④向

[설명] ◎里(마을 리), 農(농사 농), 向(향할 향).

13. 푸를 록 (③) ①林 ②末 ③綠 ④外

[설명] ◎林(수풀 림), 末(끝 말), 外(바깥 외).

14. 눈 설 (④) ①法 ②足 ③再 ④雪

[설명] ◎法(법 법), 足(발 족), 再(두 재).

15. 그칠 지 (①) ①止 ②邑 ③地 ④然

[설명] ◎邑(고을 읍), 地(땅 지), 然(그럴 연).

※ 물음에 알맞은 답을 고르시오.

16. "사람과 말씀이 합쳐진 자로 사람이 하는 말에는 믿음성이 있어야 한다"는 뜻으로 만들어진 한자는? (②)

①住 ②信 ③言 ④語

[설명] ◎信(믿을 신).

17. "多<u>少</u>"에서 밑줄 친 '少'의 뜻으로 알맞은 것은? (④)

①빠지다 ②잠깐 ③젊다 ④적다

[설명] ◎少(소): 적다, 많지 아니하다, 작다, 줄다, 적어지다, 적다고 여기다, 부족하다고 생각하다, 젊다, 비난하다, 헐뜯다, 경멸하다, 빠지다, 젊은이, 어린이, 버금, 장에 버금가는 벼슬에 붙이는 말, 잠시, 잠깐, 조금 지난 뒤에. ◎多少(다소): 「1」 분량이나 정도의 많음과 적음. 「2」 작은 정도. 「3」 어느 정도로.

18. "<u>畫</u>順에 따라 글씨를 쓰는 것이 좋다"에서 밑줄 친 '畫'의 훈음으로 알맞은 것은? (③)

①그을 화 ②낮 주 ③그을 획 ④그림 획

[설명] ◎畫(화・획): 그림, 그리다, 그림으로 장식된 (화) / 긋다, 분할하다, 구분하다, 설계하다, 꾀하다, 계책, (한자의)획, 꾀 (획). ◎畫順(획순): 글씨를 쓸 때 획을 긋는 순서.

19. '貴'을(를) 자전에서 찾을 때의 방법으로 바르지 <u>않은</u> 것은? (①)

①총획으로 찾을 때는 '11'획에서 찾는다.
②자음으로 찾을 때는 '귀'음에서 찾는다.
③총획으로 찾을 때는 '12'획에서 찾는다.
④부수로 찾을 때는 '貝'부수 5획에서 찾는다.

[설명] ◎貴(귀할 귀): 貝(조개 패, 7획) 부수의 5획, 총 12획.

20. '首'의 유의자는? (④)

①功 ②訓 ③室 ④頭

[설명] ◎首(머리 수) = 頭(머리 두).

21. '孫'의 반의자는? (①)

①祖 ②子 ③兄 ④父

[설명] ◎孫(손자 손) ↔ 祖(할아비 조).

22. "過□, □業, □明"에서 □안에 공통으로 들어갈 알맞은 한자는? (③)

①家 ②青 ③失 ④曲

[설명] ◎過失(과실): 「1」 부주의나 태만 따위에서 비롯

된 잘못이나 허물. 「2」 부주의로 인하여 어떤 결과의 발생을 미리 내다보지 못한 일. ◎失業(실업): 「1」 생업을 잃음. 「2」 일할 의사와 노동력이 있는 사람이 일자리를 잃거나 일할 기회를 얻지 못하는 상태. ◎失明(실명): 시력을 잃어 앞을 못 보게 됨.

※ 어휘의 독음이 바른 것을 고르시오.

23. 良藥 (④) ①양락 ②랑락 ③농약 ④양약
[설명] ◎良藥(양약): 효험이 있는 좋은 약.
24. 溫水 (②) ①온도 ②온수 ③척도 ④척수
[설명] ◎溫水(온수): 더운물.
25. 同根 (④) ①동량 ②동곤 ③동기 ④동근
[설명] ◎同根(동근): 「1」 근본(根本)이 같음. 또는 같은 근본. 「2」 그 자라난 뿌리가 같음.
26. 品位 (②) ①품립 ②품위 ③구위 ④구립
[설명] ◎品位(품위): 「1」 직품(職品)과 직위를 아울러 이르는 말. 「2」 사람이 갖추어야 할 위엄이나 기품. 「3」 사물이 지닌 고상하고 격이 높은 인상. 「4」 금화나 은화가 함유하고 있는 금·은의 비례. 「5」 광석 안에 들어 있는 금속의 정도. 특히 다이아몬드의 품질을 나타내는 등급이다. 「6」 어떤 물품의 질적 수준.
27. 輕車 (③) ①영차 ②솔거 ③경차 ④운거
[설명] ◎輕車(경차): 「1」 가벼운 차. 「2」 경승용차. 무게가 가볍고 크기가 작은 승용차. 현재 우리나라에서는 엔진 배기량이 1,000cc 미만의 승용차를 이른다.
28. 對答 (①) ①대답 ②정답 ③문답 ④대화
[설명] ◎對答(대답): 「1」 부르는 말에 응하여 어떤 말을 함. 또는 그 말. 「2」 상대가 묻거나 요구하는 것에 대하여 해답이나 제 뜻을 말함. 또는 그런 말. 「3」 어떤 문제나 현상을 해명하거나 해결하는 방안.
29. 現在 (④) ①구재 ②현존 ③구존 ④현재
[설명] ◎現在(현재): 「1」 지금의 시간. 「2」 (때를 나타내는 말 다음에 쓰여) 기준으로 삼은 그 시점. 「3」 『불교』 현세(現世). 「4」 『언어』 동작이나 상태가 지금 행하여지고 있거나 지속됨을 나타내는 시제. 동사의 경우 기본형에 선어말 어미 '-ㄴ/는'을 넣어서 나타내며, 형용사나 서술격 조사 '이다'는 그냥 기본형으로 나타낸다. 보편적인 진리나 습관을 나타낼 때도 현재 시제를 쓴다.
30. 發展 (①) ①발전 ②폐전 ③폐간 ④발간
[설명] ◎發展(발전): 「1」 더 낫고 좋은 상태나 더 높은 단계로 나아감. 「2」 일이 어떤 방향으로 전개됨.
31. 親族 (②) ①친방 ②친족 ③신선 ④친선
[설명] ◎親族(친족): 「1」 촌수가 가까운 일가. 「2」 생물의 종류나 언어 따위에서, 같은 것에서 기원하여 나누어진 개체나 부류를 이르는 말. 「3」 『법률』 배우자, 혈족, 인척을 통틀어 이르는 말.

※ 어휘의 뜻으로 알맞은 것을 고르시오.

32. 校庭 (③)
①일정하게 가르치고 기름 ②글자를 바로잡는 일
③학교의 마당이나 운동장 ④자주 가르쳐서 바로잡음
33. 注目 (②)
①주요한 제목
②관심을 가지고 주의 깊게 살핌
③물을 끌어옴 ④기름을 넣음
34. 雲集 (④)
①멋스럽고 운치가 있음 ②바람과 구름
③문장을 모아 엮은 책 ④많은 사람이 모여듦

※ 낱말을 한자로 바르게 쓴 것을 고르시오.

35. 적중: 목표에 정확히 들어맞음. (①)
①的中 ②的計 ③中央 ④史的
36. 덕행: 어질고 너그러운 행실. (②)
①度幸 ②德行 ③德幸 ④度行
37. 재능: 재주와 능력. (③)
①能力 ②材力 ③才能 ④材能

※ 밑줄 친 어휘의 알맞은 독음을 고르시오.

38. 저 섬까지가 우리 <u>漁區</u>이다. (②)
①해구 ②어구 ③어촌 ④어업
[설명] ◎漁區(어구): 수산물을 잡거나 따거나 또는 가공할 목적으로 특별히 정한 구역.
39. 서로 <u>相反</u>된 견해로 사이가 좋지 않다. (④)
①상립 ②대치 ③대립 ④상반
[설명] ◎相半(상반): 서로 반대되거나 어긋남.
40. 전쟁이 아닌 <u>平和</u>적인 방법을 모색해 한다. (①)
①평화 ②대화 ③온화 ④민주
[설명] ◎平和(평화): 「1」 평온하고 화목함. 「2」 전쟁, 분쟁 또는 일체의 갈등이 없이 평온함. 또는 그런 상태.
41. 대립하던 둘 사이에 또 다시 <u>流血</u> 충돌이 벌어졌다. (③)
①무력 ②집단 ③유혈 ④의견
[설명] ◎流血(유혈): 피를 흘림. 또는 흘러나오는 피.

※ 다음 면에 계속

※ 밑줄 친 부분을 한자로 바르게 쓴 것을 고르시오.

모|범|답|안

42. 이번 달에는 가족 행사가 많아서 적자가 났다. (①)
①赤字 ②黑字 ③赤自 ④黑自
[설명] ◎赤字(적자): 「1」 붉은 잉크를 사용하여 교정을 본 글자나 기호. 「2」 지출이 수입보다 많아서 생기는 결손액. 장부에 기록할 때 붉은 글자로 기입한 데서 유래한다.

43. 내가 제일 잘하는 과목은 한문이다. (④)
①第日 ②弟一 ③弟日 ④第一
[설명] ◎第一(제일): 여럿 가운데서 첫째가는 것. 여럿 가운데 가장.

44. 이 동시를 낭랑한 목소리로 읽어보세요. (③)
①漢詩 ②童時 ③童詩 ④動時
[설명] ◎童詩(동시): 「1」 주로 어린이를 독자로 예상하고 어린이의 정서를 읊은 시. 「2」 어린이가 지은 시.

※ 물음에 알맞은 답을 고르시오.

45. 어휘의 짜임이 다른 것은? (③)
①算數 ②樹木 ③本心 ④海洋
[설명] ◎算數(산수, 셈 산·셈 수): 「1」 수의 성질, 셈의 기초, 초보적인 기하 따위를 가르치는 학과목. 「2」 산법(算法). ◎樹木(수목, 나무 수·나무 목): 「1」 살아 있는 나무. 「2」 목본 식물을 통틀어 이르는 말. ◎海洋(해양, 바다 해·큰바다 양): 넓고 큰 바다. 이상은 같은 뜻의 한자로 이루어진 '유사병렬관계'이다. ◎本心(본심, 근본 본·마음 심): 본디부터 변함없이 그대로 가지고 있는 마음. 이는 앞 글자가 뒤 글자를 꾸며주는 '수식관계'이다.

46. '昨年'의 유의어는? (①)
①去年 ②今年 ③來年 ④昨今
[설명] ◎昨年(작년): 지난해. = ◎去年(거년): 지난해.

47. '便安'의 반의어는? (②)
①不利 ②不便 ③便利 ④安全
[설명] ◎便安(편안): 편하고 걱정 없이 좋음. ↔ ◎不便(불편): 「1」 어떤 것을 사용하거나 이용하는 것이 거북하거나 괴로움. 「2」 몸이나 마음이 편하지 아니하고 괴로움. 「3」 다른 사람과의 관계 따위가 편하지 않음.

48. "馬耳東風"의 속뜻으로 바른 것은? (④)
①경치 좋고 이름난 산천
②늙지 않고 오래 삶
③죽을 고비를 여러 차례 겪음
④남의 말을 귀담아듣지 않음
[설명] ◎馬耳東風(마이동풍): 동풍이 말의 귀를 스쳐 간다는 뜻으로, 남의 말을 귀담아듣지 아니하고 지나쳐 흘려버림을 이르는 말.

49. 우리 조상들이 남긴 문화유산을 대하는 태도로 바르지 않은 것은? (②)
①조상의 얼을 느껴본다. ②대충대충 관리한다.
③소중히 아끼고 보존한다. ④강한 자긍심을 갖는다.
[설명] ◎우리의 문화유산은 소중하게 간직하고 대충대충 관리해서는 안된다.

50. 앞으로 계승 발전 시켜야 할 우리의 고유 민속놀이로 알맞지 않은 것은? (①)
①카드놀이 ②줄다리기 ③강강술래 ④씨름

♣ 수고하셨습니다.

모|범|답|안 15회

■ 다음 물음에 맞는 답의 번호를 골라 답안지의 해당 답란에 표시하시오.

※ 한자의 훈음으로 바른 것을 고르시오.

1. 庭 (④) ①많을 다 ②글 장 ③아름다울 미 ④뜰 정
[설명] ◎多(많을 다), 章(글 장), 美(아름다울 미).
2. 賣 (③) ①꾸짖을 책 ②살 매 ③팔 매 ④차례 번
[설명] ◎責(꾸짖을 책), 買(살 매), 番(차례 번).
3. 消 (②) ①얼음 빙 ②사라질 소 ③셈 수 ④법 식
[설명] ◎冰(얼음 빙), 數(셈 수), 式(법 식).
4. 黑 (①) ①검을 흑 ②굽을 곡 ③으뜸 원 ④알 지
[설명] ◎曲(굽을 곡), 元(으뜸 원), 知(알 지).
5. 德 (③) ①일 업 ②은 은 ③덕 덕 ④밤 야
[설명] ◎業(일 업), 銀(은 은), 夜(밤 야).
6. 歷 (④) ①언덕 원 ②거느릴 부 ③군사 병 ④지낼 력
[설명] ◎原(언덕 원), 部(거느릴 부), 兵(군사 병).
7. 展 (②) ①두 재 ②펼 전 ③기 기 ④귀할 귀
[설명] ◎再(두 재), 旗(기 기), 貴(귀할 귀).
8. 奉 (①) ①받들 봉 ②대답할 대 ③살필 성 ④털 모
[설명] ◎對(대답할 대), 省(살필 성), 毛(털 모).

※ 훈음에 맞는 한자를 고르시오.

9. 고을 주 (③) ①川 ②語 ③州 ④竹
[설명] ◎川(내 천), 語(말씀 어), 竹(대 죽).
10. 반드시 필 (④) ①心 ②黄 ③便 ④必
[설명] ◎心(마음 심), 黄(누를 황), 便(편할 편).
11. 집 원 (①) ①院 ②室 ③宿 ④空
[설명] ◎室(집 실), 宿(잠잘 숙), 空(빌 공).
12. 예도 례 (③) ①別 ②以 ③禮 ④待
[설명] ◎別(다를 별), 以(써 이), 待(기다릴 대).
13. 창문 창 (①) ①窓 ②短 ③會 ④急
[설명] ◎短(짧을 단), 會(모일 회), 急(급할 급).
14. 망할 망 (②) ①公 ②亡 ③圖 ④工
[설명] ◎公(공변될 공), 圖(그림 도), 工(장인 공).
15. 그럴 연 (④) ①貝 ②通 ③天 ④然
[설명] ◎貝(조개 패), 通(통할 통), 天(하늘 천).

※ 물음에 알맞은 답을 고르시오.

16. "얼굴·머리·목 등 사람의 머리 앞모양"을 본뜬 글자로 '머리'를 뜻하는 한자는? (③)
①仕 ②京 ③首 ④米
[설명] ◎首(머리 수).
17. "畫順에 따라 글씨를 써야 바르게 쓸 수 있다"에서 밑줄 친 '畫'의 훈음으로 바른 것은? (③)
①그림 화 ②그림 획 ③그을 획 ④그을 화
[설명] ◎畫(화·획): 그림, 그리다, 그림으로 장식 (화) / 긋다, 분할하다, 구분하다, 계획하다, 설계하다, 꾀하다, 계책, 획 (획). ◎畫順(획순): 글씨를 쓸 때 획을 긋는 순서.
18. "人力車"에서 밑줄 친 '車'의 훈음으로 바른 것은? (③)
①차례 거 ②수레 차 ③수레 거 ④차례 차
[설명] ◎車(거·차): 수레, 수레바퀴, 수레를 모는 사람, 이틀, 치은 (거) / 수레, 수레바퀴, 수레를 모는 사람, 이틀, 치은, 장기의 말 (차). ◎人力車(인력거): 사람이 끄는, 바퀴가 두 개 달린 수레. 주로 사람을 태운다.
19. '雪'을(를) 자전에서 찾을 때의 방법으로 바르지 <u>않은</u> 것은? (①)
①부수로 찾을 때는 '彐'부수 8획에서 찾는다.
②부수로 찾을 때는 '雨'부수 3획에서 찾는다.
③자음으로 찾을 때는 '설'음에서 찾는다.
④총획으로 찾을 때는 '11획'에서 찾는다.
[설명] ◎雪(눈 설): 雨(비 우, 8획)부수의 3획, 총11획.
20. '兒'의 유의자는? (②)
①兄 ②童 ③男 ④少
[설명] ◎兒(아이 아) = ◎童(아이 동).
21. '因'의 반의자는? (①)
①果 ②凶 ③過 ④開
[설명] ◎因(인할 인) ↔ 果(과실, 결과 과).
22. "現□, □學, 内□"에서 □안에 공통으로 들어갈 알맞은 한자는? (④)
①高 ②村 ③任 ④在
[설명] ◎現在(현재): 「1」 지금의 시간. 「2」 기준으로 삼은 그 시점. 「3」 『언어』 동작이나 상태가 지금 행하여지고 있거나 지속됨을 나타내는 시제. 동사의 경우 기본형에 선어말 어미 '-ㄴ/는'을 넣어서 나타내며, 형용사나 서술격 조사 '이다'는 그냥 기본형으로 나

모|범|답|안 15회

타낸다. 보편적인 진리나 습관을 나타낼 때도 현재 시제를 쓴다.「4」지금 이 시점에.「5」기준으로 삼은 그 시점에. ◎在學(재학): 학교에 적(籍)을 두고 있음. ◎內在(내재):「1」어떤 사물이나 범위의 안에 들어 있음. 또는 그런 존재.「2」『철학』형이상학 또는 종교 철학에서, 신(神)이 세계의 본질로서 세계 안에 존재함을 이르는 말.「3」『철학』스콜라 철학에서 정신 작용에 있어서 원인과 결과가 모두 그 작용의 안에 있음을 이르는 말.「4」『철학』칸트의 인식론에서, 경험의 한계 안에 있음을 이르는 말.

※ 어휘의 독음이 바른 것을 고르시오.

23. 反感 (③) ①우심 ②우감 ③반감 ④반심
[설명] ◎反感(반감): 반대하거나 반항하는 감정.
24. 結合 (①) ①결합 ②연합 ③결론 ④결탁
[설명] ◎結合(결합): 둘 이상의 사물이나 사람이 서로 관계를 맺어 하나가 됨.
25. 使臣 (④) ①공신 ②수신 ③신사 ④사신
[설명] ◎使臣(사신): 임금이나 국가의 명령을 받고 외국에 사절로 가는 신하.
26. 安住 (②) ①전주 ②안주 ③안전 ④이주
[설명] ◎安住(안주):「1」한곳에 자리를 잡고 편안히 삶.「2」현재의 상황이나 처지에 만족함.
27. 輕油 (②) ①경차 ②경유 ③경우 ④경거
[설명] ◎輕油(경유):「1」콜타르를 끓일 때 80도에서 170도 사이에서 얻는 기름으로 용매 따위에 쓰임.「2」석유의 원유를 끓일 때 200도에서 300도 사이에서 얻는 기름으로 발동기의 연료로 쓰임.
28. 勇士 (④) ①무사 ②전사 ③용토 ④용사
[설명] ◎勇士(용사): 용맹스러운 사람.
29. 田園 (③) ①정원 ②전단 ③전원 ④전야
[설명] ◎田園(전원): 논과 밭이라는 뜻으로, 도시에서 떨어진 시골이나 교외(郊外)를 이르는 말.
30. 交流 (①) ①교류 ②육류 ③부류 ④교통
[설명] ◎交流(교류):「1」근원이 다른 물줄기가 서로 섞이어 흐름. 또는 그런 줄기.「2」문화나 사상 따위가 서로 통함.「3」『전기』시간에 따라 크기와 방향이 주기적으로 바뀌어 흐름. 또는 그런 전류. 흐르는 방향이 1초 동안 변경되는 횟수를 주파수라고 한다.
31. 功勞 (④) ①공영 ②노력 ③노동 ④공로
[설명] ◎功勞(공로): 일을 마치거나 목적을 이루는 데 들인 노력과 수고. 또는 일을 마치거나 그 목적을 이룬 결과로서의 공적.

※ 어휘의 뜻으로 알맞은 것을 고르시오.

32. 溫氣 (②)
①습한 날씨 ②따뜻한 기운
③화난 얼굴 ④따뜻한 온천수
[설명] ◎溫氣(온기).
33. 風雲 (④)
①큰 바람 ②비바람
③아름다운 세상 ④바람과 구름
[설명] ◎風雲(풍운).
34. 登場 (②)
①뽑아서 씀 ②무대나 연단에 나옴
③하늘에 오름 ④물러나서 자취를 감춤
[설명] ◎登場(등장).

※ 낱말을 한자로 바르게 쓴 것을 고르시오.

35. 참가: 모임이나 단체 또는 일에 관계하여 들어감. (①)
①參加 ②參可 ③算可 ④算加
36. 조손: 할아버지와 손자를 아울러 이르는 말. (③)
①卒孫 ②祖卒 ③祖孫 ④朝孫
37. 명의: 병을 잘 고치는 이름난 의사. (①)
①名醫 ②各衣 ③名衣 ④各醫

※ 밑줄 친 어휘의 알맞은 독음을 고르시오.

38. 아침 일찍 고향으로 <u>出發</u>했다. (②)
①출등 ②출발 ③시작 ④도착
[설명] ◎出發(출발):「1」목적지를 향하여 나아감.「2」어떤 일을 시작함. 또는 그 시작.
39. 오늘 저녁 아버지께서는 사무실 <u>當直</u>이시다. (④)
①실번 ②실직 ③당번 ④당직
[설명] ◎當直(당직): 근무하는 곳에서 숙직이나 일직 따위의 당번이 됨. 또는 그런 차례가 된 사람.
40. 의견에 대한 반대를 <u>表明</u>하였다. (①)
①표명 ②표시 ③청명 ④표현
[설명] ◎表明(표명): 의사나 태도를 분명하게 드러냄.
41. 해마다 <u>家族</u> 구성원의 수가 줄고 있다. (③)
①가계 ②식구 ③가족 ④가정
[설명] ◎家族(가족): 주로 부부를 중심으로 한, 친족 관계에 있는 사람들의 집단. 또는 그 구성원. 혼인, 혈연, 입양 등으로 이루어진다.

※ 다음 면에 계속

모|범|답|안 15회

※ 밑줄 친 부분을 한자로 바르게 쓴 것을 고르시오.

42. 기존 회원들이 모두 동의해야 한다. (④)
①同如 ②洞意 ③洞思 ④同意
[설명] ◎同意(동의): 「1」 같은 의미. 「2」 의사나 의견을 같이함. 「3」 다른 사람의 행위를 승인하거나 시인함. 「4」 다른 사람의 법률 행위에 대한 인허(認許)나 시인의 의사 표시. 행위자의 단독 행위로는 완전한 법률 효과가 생기지 않을 때에, 이를 보충하는 다른 사람의 의사 표시를 이른다.

43. 악천후 때문에 행군을 중지했다. (③)
①重地 ②重止 ③中止 ④中地
[설명] ◎中止(중지): 하던 일을 중도에서 그만둠.

44. 사진보다 실물이 더 예쁘다. (②)
①物動 ②實物 ③實動 ④失物
[설명] ◎實物(실물): 「1」 실제로 있는 물건이나 사람. 「2」 『경제』 주식이나 상품 따위의 현품(現品).

※ 물음에 알맞은 답을 고르시오.

45. 어휘의 짜임이 '수식 관계'인 것은? (①)
①休日 ②根本 ③身體 ④河海
[설명] ◎休日(휴일, 쉴 휴·날 일): 일요일이나 공휴일 따위의 일을 하지 아니하고 쉬는 날. 이는 앞 글자가 뒤 글자를 꾸며주는 '수식관계'임. ◎根本(근본, 뿌리 근·근본 본): 「1」 초목의 뿌리. 「2」 사물의 본질이나 본바탕. ◎身體(신체, 몸 신·몸 체): 「1」 사람의 몸. 「2」 갓 죽은 송장을 이르는 말. ◎河海(하해, 물 하·바다 해): 큰 강과 바다를 아울러 이르는 말. 이상은 비슷한 뜻의 한자로 이루어진 '유사병렬관계'임.

46. '落陽'의 유의어는? (③)
①樂陽 ②光陽 ③夕陽 ④陽光
[설명] ◎落陽(낙양)·夕陽(석양): 「1」 저녁때의 햇빛. 또는 저녁때의 저무는 해. 「2」 석양이 질 무렵. 「3」 '노년'을 비유적으로 이르는 말.

47. '冬服'의 반의어는? (④)
①面服 ②夏冬 ③敬服 ④夏服
[설명] ◎冬服(동복): 겨울철에 입는 옷. ↔ ◎夏服(하복): 여름철에 입는 옷.

48. "山戰水戰"의 속뜻으로 알맞은 것은? (②)
①힘에 겨운 싸움을 함
②세상의 온갖 고생과 어려움을 겪음
③전쟁이 끊이지 않음 ④싸울 때마다 이김
[설명] ◎山戰水戰(산전수전): 산에서도 싸우고 물에서도 싸웠다는 뜻으로, 세상의 온갖 고생과 어려움을 다 겪었음을 이르는 말.

49. 우리의 전통문화를 이해하기 위한 방법으로 바르지 않은 것은? (①)
①옛날 것은 항상 쓸모없다고 생각한다.
②현장 학습을 통해서 다양하게 경험을 해 본다.
③관련 서적을 통해 간접 경험을 해 본다.
④우리 것이 소중한 것임을 잊지 않는다.

50. 우리의 행동으로 바르지 못한 것은? (④)
①음식을 골고루 잘 먹는다
②동생을 잘 보살피며 사이좋게 지낸다.
③장난감 정리는 스스로 알아서 한다.
④외출했다 들어와서도 손발을 잘 씻지 않는다.

♣ 수고하셨습니다.

[제0-4호 서식]

제□□회 한자급수자격검정시험 경시대회 답안지 (앞면) 0 1

사단법인 대한민국한자교육연구회 / KTA 대한검정회 Korea Test Association

수 험 번 호

※ 정확하게 기재하고 해당란에 ▮처럼 칠할 것.

한자급수시험 등급표기란	한문경시대회 부문표기란
6	A
준5	B
5	C
준4	D
4	E
준3	F
3	G
준2	
2	

주민번호 앞6자리 (생년월일) ※ 예 : 2001. 11. 22 ⇨ 01 11 22

성 별: 남 / 여

※ 참고사항

▶시험준비물을 제외한 모든 물품은 가방에 넣어 지정된 장소에 보관할 것.

▶시험기간 및 합격기준

등급	시험시간	합격기준
6급~준3급	14:00~14:40(40분)	70점이상
3급~2급	14:00~15:00(60분)	

▶합격자발표 : 시험 4주후 발표
-홈페이지 및 ARS(060-700-2130)

▶자격증 교부방법
-방문접수자는 접수처에서 교부
-인터넷접수자는 개별발송

※ 주 의 사 항

이 답안지는 한자급수 자격시험 및 전국한문 실력경시대회 겸용입니다.

1. 답안지가 구겨지거나 더럽혀지지 않도록 할 것. 모든 □안의 기록은 첫칸부터 한 자씩 붙여 쓸것.

2. 답안지의 모든기재사항은 검정색 볼펜을 사용하여 기재하고 해당번호에 한개의 답에만 ▮처럼 칠할 것.

3. 수험번호와 생년월일을 정확하게 기재하여 주십시오.

4.※ 표시가 있는 란은 절대 기입하지 말 것.

5. 기재오류로 인한 책임은 모두 응시자 여러분에게 있습니다.

※ 시험종료 후 시험지 및 답안지를 반드시 제출하십시오.

성 명 (한글) □□□□□

※ 모든 □안의 기록은 첫 칸부터 한 자씩 붙여 쓰시오.

객 관 식 답 안 란

번호	답	번호	답	번호	답	번호	답
1	① ② ③ ④	14	① ② ③ ④	27	① ② ③ ④	40	① ② ③ ④
2	① ② ③ ④	15	① ② ③ ④	28	① ② ③ ④	41	① ② ③ ④
3	① ② ③ ④	16	① ② ③ ④	29	① ② ③ ④	42	① ② ③ ④
4	① ② ③ ④	17	① ② ③ ④	30	① ② ③ ④	43	① ② ③ ④
5	① ② ③ ④	18	① ② ③ ④	31	① ② ③ ④	44	① ② ③ ④
6	① ② ③ ④	19	① ② ③ ④	32	① ② ③ ④	45	① ② ③ ④
7	① ② ③ ④	20	① ② ③ ④	33	① ② ③ ④	46	① ② ③ ④
8	① ② ③ ④	21	① ② ③ ④	34	① ② ③ ④	47	① ② ③ ④
9	① ② ③ ④	22	① ② ③ ④	35	① ② ③ ④	48	① ② ③ ④
10	① ② ③ ④	23	① ② ③ ④	36	① ② ③ ④	49	① ② ③ ④
11	① ② ③ ④	24	① ② ③ ④	37	① ② ③ ④	50	① ② ③ ④
12	① ② ③ ④	25	① ② ③ ④	38	① ② ③ ④		
13	① ② ③ ④	26	① ② ③ ④	39	① ② ③ ④		

※ 주관식 답안란은 뒷면에 있습니다.

감독확인	
정	
부	

[제0-4호 서식]

제□□회 ○한자급수자격검정시험 ○경시대회 답안지 (앞면) 0 1

사단법인 대한민국한자교육연구회 / KTA 대한검정회 Korea Test Association

수 험 번 호 ※ 정확하게 기재하고 해당란에 ▮처럼 칠할 것.

한자급수시험 등급표기란	한문경시대회 부문표기란
6	A
준5	B
5	C
준4	D
4	E
준3	F
3	G
준2	
2	

주민번호 앞6자리 (생년월일) ※ 예 : 2001. 11. 22 ⇨ 01 11 22

성 별: 남 / 여

※ 참고사항

▶시험준비물을 제외한 모든 물품은 가방에 넣어 지정된 장소에 보관할 것.

▶시험기간 및 합격기준

등급	시험시간	합격기준
6급~준3급	14:00~14:40(40분)	70점이상
3급~2급	14:00~15:00(60분)	

▶합격자발표 : 시험 4주후 발표
-홈페이지 및 ARS(060-700-2130)

▶자격증 교부방법
-방문접수자는 접수처에서 교부
-인터넷접수자는 개별발송

※ 주 의 사 항

이 답안지는 한자급수 자격시험 및 전국한문 실력경시대회 겸용입니다.

1. 답안지가 구겨지거나 더럽혀지지 않도록 할 것. 모든 □안의 기록은 첫칸부터 한 자씩 붙여 쓸것.

2. 답안지의 모든기재 사항은 검정색 볼펜을 사용하여 기재하고 해당번호에 한개의 답에만 ▮처럼 칠할 것.

3. 수험번호와 생년월일을 정확하게 기재하여 주십시오.

4.※ 표시가 있는 란은 절대 기입하지 말 것.

5. 기재오류로 인한 책임은 모두 응시자 여러분에게 있습니다.

※ 시험종료 후 시험지 및 답안지를 반드시 제출하십시오.

성 명 (한글) ※ 모든 □안의 기록은 첫 칸부터 한 자씩 붙여 쓰시오.

객 관 식 답 안 란

번호	답	번호	답	번호	답	번호	답
1	① ② ③ ④	14	① ② ③ ④	27	① ② ③ ④	40	① ② ③ ④
2	① ② ③ ④	15	① ② ③ ④	28	① ② ③ ④	41	① ② ③ ④
3	① ② ③ ④	16	① ② ③ ④	29	① ② ③ ④	42	① ② ③ ④
4	① ② ③ ④	17	① ② ③ ④	30	① ② ③ ④	43	① ② ③ ④
5	① ② ③ ④	18	① ② ③ ④	31	① ② ③ ④	44	① ② ③ ④
6	① ② ③ ④	19	① ② ③ ④	32	① ② ③ ④	45	① ② ③ ④
7	① ② ③ ④	20	① ② ③ ④	33	① ② ③ ④	46	① ② ③ ④
8	① ② ③ ④	21	① ② ③ ④	34	① ② ③ ④	47	① ② ③ ④
9	① ② ③ ④	22	① ② ③ ④	35	① ② ③ ④	48	① ② ③ ④
10	① ② ③ ④	23	① ② ③ ④	36	① ② ③ ④	49	① ② ③ ④
11	① ② ③ ④	24	① ② ③ ④	37	① ② ③ ④	50	① ② ③ ④
12	① ② ③ ④	25	① ② ③ ④	38	① ② ③ ④		
13	① ② ③ ④	26	① ② ③ ④	39	① ② ③ ④		

※ 주관식 답안란은 뒷면에 있습니다.

감독확인	
정	
부	

[제0-4호 서식]

제□□회 ▯한자급수자격검정시험 ▯경시대회 답안지 (앞면) 0 1

사단법인 대한민국한자교육연구회 / KTA 대한검정회 Korea Test Association

수 험 번 호 ※ 정확하게 기재하고 해당란에 ▮처럼 칠할 것.

한자급수시험 등급표기란	한문경시대회 부문표기란					—					
		0	0	0	0		0	0	0	0	0
6	A	1	1	1	1		1	1	1	1	1
준5	B	2	2	2	2	—	2	2	2	2	2
5	C	3	3	3	3		3	3	3	3	3
준4	D	4	4	4	4		4	4	4	4	4
4	E	5	5	5	5		5	5	5	5	5
준3	F	6	6	6	6		6	6	6	6	6
3	G	7	7	7	7		7	7	7	7	7
준2		8	8	8	8		8	8	8	8	8
2		9	9	9	9		9	9	9	9	9

주민번호 앞6자리 (생년월일) ※ 예 : 2001. 11. 22 ⇨ 01 11 22

						성 별
0	0	0	0	0	0	
1	1	1	1	1	1	남
2	2		2	2	2	여
3	3		3	3	3	
4	4		4		4	
5	5		5		5	
6	6		6		6	
7	7		7		7	
8	8		8		8	
9	9		9		9	

※ 참고사항

▶시험준비물을 제외한 모든 물품은 가방에 넣어 지정된 장소에 보관할 것.

▶시험기간 및 합격기준

등급	시험시간	합격기준
6급~준3급	14:00~14:40(40분)	70점이상
3급~2급	14:00~15:00(60분)	

▶합격자발표 : 시험 4주후 발표
-홈페이지 및 ARS(060-700-2130)

▶자격증 교부방법
-방문접수자는 접수처에서 교부
-인터넷접수자는 개별발송

※ 주 의 사 항

이 답안지는 한자급수 자격시험 및 전국한문 실력경시대회 겸용입니다.

1. 답안지가 구겨지거나 더럽혀지지 않도록 할 것. 모든 □안의 기록은 첫칸부터 한 자씩 붙여 쓸것.

2. 답안지의 모든기재 사항은 검정색 볼펜을 사용하여 기재하고 해당번호에 한개의 답에만 ▮ 처럼 칠할 것.

3. 수험번호와 생년월일을 정확하게 기재하여 주십시오.

4.※ 표시가 있는 란은 절대 기입하지 말 것.

5. 기재오류로 인한 책임은 모두 응시자 여러분에게 있습니다.

※ 시험종료 후 시험지 및 답안지를 반드시 제출하십시오.

성 명 (한글) □□□□□ ※ 모든 □안의 기록은 첫 칸부터 한 자씩 붙여 쓰시오.

객 관 식 답 안 란

1	① ② ③ ④	14	① ② ③ ④	27	① ② ③ ④	40	① ② ③ ④
2	① ② ③ ④	15	① ② ③ ④	28	① ② ③ ④	41	① ② ③ ④
3	① ② ③ ④	16	① ② ③ ④	29	① ② ③ ④	42	① ② ③ ④
4	① ② ③ ④	17	① ② ③ ④	30	① ② ③ ④	43	① ② ③ ④
5	① ② ③ ④	18	① ② ③ ④	31	① ② ③ ④	44	① ② ③ ④
6	① ② ③ ④	19	① ② ③ ④	32	① ② ③ ④	45	① ② ③ ④
7	① ② ③ ④	20	① ② ③ ④	33	① ② ③ ④	46	① ② ③ ④
8	① ② ③ ④	21	① ② ③ ④	34	① ② ③ ④	47	① ② ③ ④
9	① ② ③ ④	22	① ② ③ ④	35	① ② ③ ④	48	① ② ③ ④
10	① ② ③ ④	23	① ② ③ ④	36	① ② ③ ④	49	① ② ③ ④
11	① ② ③ ④	24	① ② ③ ④	37	① ② ③ ④	50	① ② ③ ④
12	① ② ③ ④	25	① ② ③ ④	38	① ② ③ ④	※ 주관식 답안란은 뒷면에 있습니다.	
13	① ② ③ ④	26	① ② ③ ④	39	① ② ③ ④		

감독확인	정	
	부